임태득 목사님

2007. 3. 28

저자 김영진

에세이와 시로 그린 성경 인물 이야기

사람아 네가 무엇이냐

구약편2 | 한나에서 느헤미야까지

This book blongs to

김영진 金永鎭

시인. 수필가.
1944년 경북 예천에서 태어났다. 감리교 신학대학 대학원 졸,
한국문인협회, 한국시인협회 감사, 한국수필문학가협회 이사,
국제팬클럽 한국본부 감사, 한국기독문인협회 부회장, 한국잡지협회 회장,
월간 「새벗」의 발행인으로, (주)성서원의 회장으로 있다.
저서로는 시집 「초원의 꿈을 그대들에게」(1965),
「나들이」(1981), 「책한테 길을 물어」(1985, (주)현대문학)
「사랑과 봉사의 길」(1989), 「뛰는 자가 아름답다」(1989) 등이 있다.
「열린 문으로 들어가기」(1994, (주)국민일보)로 '동포문학상 본상'을,
「책 읽는 사람이 세계를 이끈다」(1995, 웅진닷컴, 15쇄)로
'한국수필문학상 본상'을 수상했으며, 한국간행물윤리위원회의
'청소년을 위한 좋은 책'으로 선정되었다.
시집 「희망이 있으면 음악이 없어도 춤춘다」(2000, 웅진닷컴)는
대한출판문화협회 '이달의 청소년 도서'로 선정되었다.
「네 인생을 재부팅하라」(2001, 청림출판),
시집 「나를 부르는 소리」(2002, (주)성서원, 한국기독교문학상 수상),
시집 「별과 꽃과 사랑의 노래」(2003, 웅진닷컴)
대통령 표창과 대한민국 은관문화훈장을 받기도 한 김영진의 저서는
50만 이상의 독자들에게 사랑받고 있다.

에세이와 시로 그린 성경 인물 이야기

사람아 네가 무엇이냐

김영진 글 · 김천정 그림

구약편2 | 한나에서 느헤미야까지

성서원

오늘의 나를 비추는 거울이기를

"여호와여, 사람이 무엇이관대
주께서 저를 알아주시며
인생이 무엇이관대
저를 생각하시나이까"
(시편 144:3)

오래 전, 시인은 하나님 앞에 실존적인 질문을 제기했다. 사람이란 과연 무엇인가? 사람은 하나님 앞에서 어떤 존재이며, 어떤 존재가 되어야 하는가?

성경 속에는 수많은 인물이 등장한다. 에덴 동산의 아담에서부터 밧모 섬의 사도 요한까지, 숱한 인물들이 성경이라는 무대 속에서 웃고 울며 갖가지 만고풍상을 연출한다. 성경에 등장하는 주요 인물들의 희로애락 속으로 뛰어들어 그들의 이야기를 에세이와 시로 풀어낸 것은, 바로 거기에 오늘의 우리 모습이 담겨 있기 때문이었다.

한낱 역사 속으로 스러져 간 인물들의 옛날 이야기로만 치부하지 않고, 땀 냄새 나는 역동적인, 살아 있는 우리 자신의 내면을 비추는 거울이 되어 줄 수만 있다면! 그런 바람에서 매주 화요일 국민일보 독자들과 만나 왔다. "시인 김영진의 성경 속의 인물"은, 신약편 45인의 삶의 파노라마가 아직 연재를 기다리고 있지만, 구약편 75인의 삶을 우선 두 권의 책으로 엮어 선보인다.

첨단 과학의 협조로 과거에는 감히 상상도 할 수 없었던 21세기를 살아가고 있다고 해서, 인생의 밑그림 자체가 크게 달라진 것은 아니다. 예나 이제나 인간이란 존재는 하나님의 품을 한 발자국만 벗어나도 실존의 불안에 노출되는 나약한 존재인 것이다.

사람의 욕망과 하나님이 원하시는 길 사이에서 아름다운 화음을 끌어낼 수 있으려면, 무엇보다 먼저 나 자신의 어제와 오늘을 여실하게 비추어 볼 수 있어야 한다. 그 날이 되면 누구나 하나님 앞에서 자기 자신을 송두리째 벌거벗지 않을 수 없겠지만, 그러기 이전에 우리는 먼저 자기 자신을 스스로 거울에 비추어 보는 예행 연습을 게을리하지 말아야 할 것이다.

아무쪼록 영혼까지 비추는 거울로 삼아 주기를! 그리하여 내 삶의 현주소를 읽고, 마음을 다잡고, 내일을 꿈꾸는 마당이 되어 주기를!

이 책을 펴내게 해 주신 하나님께 모든 영광을 돌리며, 그리고 실무 작업에 여러 모로 도움을 준 문서 동역자들과 그림을 그려 주신 김천정 화백께 감사드립니다.

2005년 김 영 진

차 례

part 5 • 나라를 세우고 백성을 다스리고

part 6 • 마음을 찢고 돌아오라

part 7 • 율법대로 율법을 좇아

part 8 • 말씀의 강단을 베푸소서

part 5 · 나라를 세우고 백성을 다스리고

38 하나님께 은총받은 기도의 어머니 한나

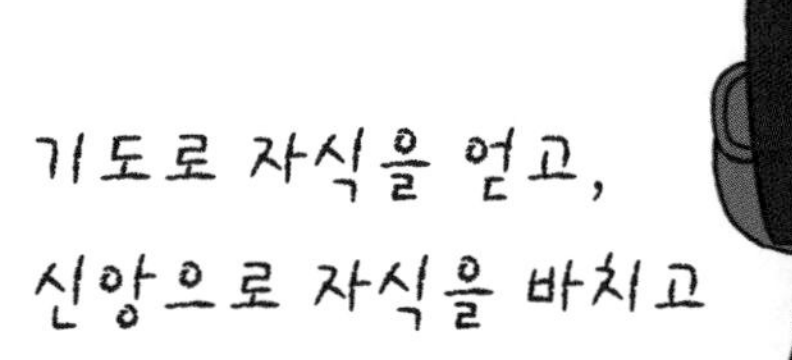

자식이 없어 슬픈 여인 레위 족속으로 에브라임 산지에 사는 '엘가나' 란 사람에게 두 아내가 있었다. 첫 번째 아내가 '한나' 이고 두 번째로 맞아들인 아내가 '브닌나' 였다. 그런데 한나에게는 자식이 없었고, 브닌나에게는 자식이 있었다. 고대 세계에서 이 사실은 중요한 의미를 지녔다. 자식을 낳지 못한 여인의 고통은 말로 표현할 수 없을 만큼 컸다. 더군다나 한나는 그 일로 인해 후실(後室) 된 브닌나에게 조롱과 멸시를 당하고 있었다. 비록 어진 남편 엘가나는 한나를 이해하고 위로해 주며 브닌나보다 그녀를 더욱 사랑했지만, 한나는 괴롭고 슬픈 마음을 억제할 수 없어 울고 또 울었다.

자식을 얻은 은총의 여인 자식이 없어 슬픈 나날을 보냈지만, 한나는 그런 문제로 브닌나와 다투거나 남편을 못살게 굴지 않았다. 다만 성전에 올라가서 하나님 앞에 엎드렸다. 하나님께 괴로운 마음을 토로하면서 기도하는 가운데 통곡했다. 하나님의 은총으로 자식을 얻게 되면, 그를 하나님께 다시 바치겠다고 서원했다. 하나님은 그런 한나를 기억하시고 그녀에게 은총을 베푸셨다. '은총'이라는 이름 뜻 그대로, 한나는 하나님의 은총을 입어 그토록 바라던 자식을 얻을 수 있었다. 그 아들이 바로 '여호와께 구함'이라는 뜻의 이름을 가진 '사무엘'이다.

자식을 바친 신앙의 여인 참으로 어렵게 얻은 귀하디귀한 아들이었지만, 한나는 하나님께 드린 서원 기도를 잊지 않았다. 아들을 기르다 사무엘이 젖을 떼게 되자, 그를 데리고 성전으로 올라가 약속대로 하나님께 바친다. 다시 말해 성전에서 전적으로 하나님의 일을 하도록 제사장의 수하에 사무엘을 맡긴다. 하나님께 사무엘을 바칠 때 한나는 망설이거나 슬퍼하지 않았다. 오히려 감격에 찬 심령으로, 하나님의 절대 주권을 기리는 '한나의 찬송'을 아름답게 노래했다(삼상 2:1-10).

신앙의 어머니 한나의 서원 기도로 태어나고, 서원한 대로 하나님께 바쳐진 사무엘은 장차 자라서 이스라엘의 마지막 사사요, 최초의 선지자가 되어 나라의 기틀을 올바로 세운다. 달리 표현하면, 하나님은 한나에게서 사무엘을 곱게 넘겨받아 그를 이스라엘의 위대한 지도자로 키우셨다. 그뿐일까? 하나님은 한나에게 크신 은총을 베풀어 사무엘 말고도 세 아들과 두 딸을 더 낳도록 그 태(胎)를 활짝 열어 주셨다. 이처럼 한나는 바침으로써 더욱 풍성히 얻은 신앙의 놀라운 역사를 보여 주고 있다. ✝

주의 여종의 고통을 돌아보소서

옛적 사사 시대 말기 에브라임 산지에
슬픈 여인 있었네
늦도록 자식 없어
후실(後室) 브닌나에게 고통과 멸시 당했던
한나 있었네
남편 엘가나의 애틋한 사랑도
그녀에겐 힘이 되지 못했구나

하나님께 기도했네
슬픔과 고통 가득 안고
성전에 올라가
한나는
눈물로써 하나님께 기도했네
"만군의 여호와여, 주의 여종의 고통을 돌아보소서"

한나의 눈물 기도
하나님께 상달되어
드디어 하나님의 은총 입었네
바라고 바라던 아들 얻었어라
'여호와께 간구했다' 는 이름의
사무엘

얼마나 품에 안고 싶었을까
하지만 한나는 그 아들을 바쳤네
서원 기도한 대로
하나님께 다시 사무엘을 바쳤네
사무엘을 돌려받은 하나님
한나의 태(胎) 활짝 열어
세 아들과 두 딸을 더 주셨구나

하나님의 손에서 길러진 사무엘,
이스라엘의 마지막 사사 되어

이스라엘의 첫 선지자 되어
이스라엘을 올바로 이끈 위대한 지도자가 되었네

기도로써 얻고
다시 하나님께 바침으로 더욱 커진 한나의 신앙,
오늘토록 메마른 우리네 가슴 흠뻑 적셔 주네

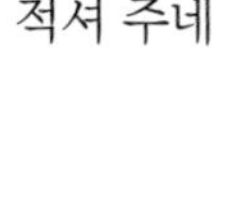

39 최후의 사사, 최초의 선지자 사무엘

어머니의 서원 기도로 태어나다 사무엘은 어머니 한나의 눈물어린 서원 기도로 태어났다. 오랜 불임(不姙)으로 고통받던 한나는 아들을 주시면 그를 다시 바치겠다고 울면서 하나님께 서원했다. 그리고 그 결과로 한나는 사무엘을 얻을 수 있었다. 한나는 서원한 대로 사무엘을 하나님께 바쳤다. 이렇게 해서 사무엘은 젖 뗀 이후로 하나님의 성전에 들어가 그곳에서 하나님의 일꾼으로 자라났다.

이스라엘 최후의 사사요, 최초의 선지자로 활동하다 사무엘은 이스라엘의 사사 시대 말기에 최후의 사사로서 활동했다. 사사로서 그는 전쟁 때 외적의 침략으로부터 나라를 지켰고, 평화로울 때 재판관으로서 백성들을 다스렸다. 이런 임무를 감당함에 있어 사무엘은 잠시도 기도를 게을리하지 않았고, 도덕적인 청렴결백함을 잃지 않았다. 그 예로 사무엘이 주도한 미스바 회개

운동을 들 수 있다. 온 이스라엘이 다 모여 회개하는 틈을 노려 블레셋 군대가 침공했다. 이때 사무엘은 하나님께 기도함으로써 외적을 물리쳐 '에벤에셀'의 하나님을 높이 드러냈다. 뿐만 아니라 사사직을 은퇴할 때 사무엘은 자신의 청렴결백함을 백성들로부터 널리 인정받았다. 사사로 활동하는 동안 사무엘은 누구에게서 아무것도 취한 바 없었고, 누구를 한 번이라도 속인 적이 없었으며, 누구를 조금이라도 압제한 적이 없었다.

또한 사무엘은 모세의 뒤를 잇는 이스라엘 최초의 선지자였다. 그는 어릴 적부터 하나님의 음성을 친히 듣고 제사장 엘리 가문의 몰락을 예언했다. 하나님의 계시가 희귀하던 시대에, 하나님은 사무엘을 선지자로 택하여 어릴 적부터 그에게 말씀을 주셨다. 그리하여 그로 백성을 향해 예언하게 했고, 백성을 하나님의 말씀으로 가르치게 했다. 이렇게 사무엘은 각자가 제 소견을 좇아 멋대로 행하던 혼란스러운 사사 시대 말기에, 하나님의 사사와 선지자로서 맡은 바 사명을 온전히 감당했다.

이스라엘의 처음 두 왕에게 기름을 붓다 이스라엘 역사에서 사무엘의 역할은 실로 지대했다. 그는 최후의 사사로서 400년 사사(士師) 시대를 마무리짓고, 최초의 선지자로서 500년 왕정(王政) 시대를 열었다. 사무엘은 이스라엘 백성들의 요구에 응하여 사울에게 기름을 부어 이스라엘의 초대 왕으로 삼았다. 하지만 사울이 타락하자, 사무엘은 하나님의 뜻을 좇아 다윗에게 기름 부음으로써 사울을 대신할 새로운 왕으로 삼았다. 이처럼 사무엘은 자신의 일생을 바쳐 나라를 지키고 백성을 다스린 하나님의 위대한 사역자였다. ✝

사사 시대를 마무리짓고 왕정 시대를 열다

기도의 어머니 한나가
간절한 서원 기도로
'하나님께 구하여' 얻은 아들이라 하여
그 이름, '사무엘' 이라 하였네

이스라엘의 마지막 사사 되고
이스라엘의 첫 선지자 되었어라

어머니의 서원대로
젖 뗀 후부터 성전에 맡겨진 사무엘,
하나님의 손에 길러져
하나님의 큰 일꾼으로 성장했구나

어릴 적부터
하나님의 계시 받아 예언을 발하더니
성장하여
이스라엘 백성을 말씀으로 올바로 인도하는구나

미스바 회개 운동 펼쳐
메마른 심령에 신앙의 불 활활 지폈고
이방 블레셋의 침략을 받았을 땐
기도로써 나라를 굳게 지켰도다

왕을 세워 달라는 백성들의 요청에
사무엘은 하나님의 뜻 물어
기스의 아들 사울에게 기름 붓고
이새의 아들 다윗에게 기름 부어
이스라엘의 왕정(王政) 시대를 활짝 열었네

그대, 사무엘이여
사사로서 일생 청렴결백의 올곧은 판결을 베푸신 이여
선지자로서 일생 하나님의 말씀대로 가르친 이여

기도가 메마르고
정의가 굽어지며
말씀이 왜곡되는
이 시대 우리들의 영원한 사표(師表) 되소서!

40 교만에 쫓기고, 권력의 욕망에 쫓기고 사울

권력을 좇다가 왕좌에서 쫓겨나다

성실하고 겸손한 시골 청년 성경의 무대에 등장한 사울의 첫 모습은 부친의 말씀에 순종하여 사환과 함께 잃어버린 나귀를 찾아다니는 청년의 모습이었다. 사울은 자신의 동네는 물론이고, 다른 동네와 멀리 있는 낯선 마을까지 열심히 찾아다니는 성실함을 보여 주었다. 시간이 많이 지나자, 부친이 오히려 아들의 안전을 염려할 정도로 사울은 착실한 효자였다. 그러던 차에 사울은 당대의 대선지자 사무엘을 만나 장차 이스라엘을 다스릴 왕이 될 것이라는 암시를 받는다. 그때 사울은 자신과 자기 집안의 보잘것없음을 내세우면서 왕을 마다하던 겸손한 인물이었다. 마침내 사울이 이스라엘의 왕으로 제비 뽑혔을 때, 그는 짐짝 사이에 숨어 사람들 앞에 나오지도 못했던 순진한 시골 청년이었다. 사울은 이렇게 좋은 심성(心性)을 지닌 건실한 청년이었다.

이스라엘을 외적의 침공에서 지킨 이스라엘의 초대 왕 사울은 잘생기고 키가 큰 준수한 인물이었다. 보통 사람들은 사울의 어깨 정도에 그쳤다. 이런 건장한 체격을 갖춘 사울은 하나님의 신(神)을 받아 이스라엘의 왕으로 우뚝 섰다. 이스라엘의 초대 왕이 된 사울은 이스라엘 사방에 있는 모든 대적들, 곧 모압과 암몬과 에돔과 아말렉 족속을 물리쳤다. 특히 당시 이스라엘 백성들을 크게 괴롭혔던 블레셋 족속을 물리쳤다. 외적들의 침입으로부터 나라를 지켜 줄 왕을 간절히 구했던 이스라엘 백성들의 소원은 사울을 통해 일단 이루어졌다.

권력의 욕망에 쫓긴 실패한 왕 전쟁과 전쟁에서 승리한 사울 왕에게 권세와 영광이 뒤따랐다. 사울은 자신도 모르는 사이에 권력에 도취되어 갔다. 그래서 오직 제사장만이 드릴 수 있는 희생 제사를 자기 스스로 집행했고, 또한 하나님의 명령을 어기고 전쟁의 좋은 전리품들을 취했다. 그런 사울에게는 더 이상 사무엘도 없었고, 하나님도 없었다. 단지 왕의 보좌와 권세만 있었다. 그리하여 하나님의 신은 사울을 떠나갔고, 사울은 점차 더 권력에 미쳐 갔다. 보좌를 잃지 않으려고 아무런 죄 없는 다윗을 죽이기 위해 그를 추적하는 데 일생을 허비했다. 하지만 정작 쫓긴 것은 다윗이 아니라 사울 자신이었다. 사울은 권력의 욕망에 얽매여 스스로에게 쫓긴 것이다. 결국 사울은 블레셋과의 일전을 겨루는 길보아 전투에서 크게 패한다. 그때 적군의 화살을 맞고 블레셋 군사들에게 쫓기다가 스스로 제 목숨을 끊고 만다. 불행하게도 그는 권력에 집착하고 그것을 추구하다가 오히려 권력에서 쫓겨난 실패한 왕이 되고 말았다. ✝

겸손으로 일어서고, 교만으로 쓰러지다

이스라엘이 열두 지파로 나누어진 사사 시대,
한 나라로 번듯이 서지 못하여
이스라엘은
이방 블레셋의 침략으로 고통당했네

“우리에게 왕을 세워 주소서”
이스라엘 백성들은 강력한 왕을 갈망했고
사무엘은 하나님의 뜻 물어
베냐민 지파 기스의 아들 사울에게 기름 부어
이스라엘 초대 왕으로 삼았어라

처음 사울은 겸손하였네
왕으로 뽑힌 그를 뭇 백성이 찾았을 제
짐짝 뒤에 숨어 부끄러워했다네
“나는 가장 작은 지파의 가장 미약한 사람이 아니니이까”

이스라엘의 초대 왕 되어
하나님의 능력을 받은 사울,
암몬을 이기고
블레셋을 물리쳤네
이스라엘 백성들은 사울을 향해 만세를 외쳤네

그러나 사울은 교만하여졌어라
제사장의 희생 제사를 침범하고
하나님의 명을 어겨 아말렉 왕을 살려 두었네
왕의 권좌에 눈이 멀어
왕의 권좌를 지켜 내려 죄 없는 다윗을 죽이려 했네

어찌 하나님의 버림을 받지 않을까

하나님의 신(神)이 떠나간 사울,
악신 들어 고통당하고
무당 찾아 점(占)치다가
길보아 전투에서 블레셋의 화살 맞아
자기 칼에 엎드러져 스스로 죽음을 맞았네

아, 교만이 패망의 선봉임을
무섭도록 일깨워 주고 있네

41 메시아의 혈통을 이은 다윗의 아버지 이새

순수하고 소박한 인물 이새는 이스라엘의 작은 시골 마을인 베들레헴 사람으로, 유다 지파의 보아스가 모압 여인인 룻에게서 낳은 오벳의 아들이다(마 1:5). 다시 말해 룻의 손자이다. 그는 슬하에 여덟 아들을 둔 아버지로서, 양과 염소를 치는 평범한 목부(牧夫)였다. 이처럼 이새의 경력이나 집안은 보잘것없었다. 슬하에 딸린 많은 자식들을 먹여 살리기 위해 그저 고향에서 열심히 가축을 치던 순수하고 소박한 인물일 뿐이었다. 나중에 이새가 널리 알려지게 된 것은 순전히 막내아들 다윗 덕분이었다. 다윗이 사울 왕을 이어 이스라엘의 왕으로 기름 부음 받았기 때문이다. 이런 배경 아래 다윗이 왕위에 오르기 전 사울 왕에게 쫓김을 당할 때, 사울은 다윗을 미워하고 시기하여 곧잘 '이새의 아들'이라고 불렀다

(삼상 20:31; 22:7; 25:10). 아마 다윗의 아버지인 이새가 보잘것 없는 비천한 존재였기 때문일 것이다.

하나님의 큰 일에 쓰임받은 작은 그릇 이새는 보잘것 없는 작고 평범한 그릇에 불과했지만, 하나님은 그런 이새를 들어 자신의 구속 역사를 성취시키기 위한 큰 일에 사용하셨다. 그것은 바로 이새의 줄기를 통해 메시야의 싹을 틔우고, 이새의 뿌리를 통해 메시야의 가지를 자라나게 하신 일이다(사 11:1, 10). 다시 말해 이 말은, 하나님이 이새의 몸에서 태어난 다윗과 메시야 언약을 맺고, 언약을 맺은 대로 장차 이새의 아들인 다윗의 혈통을 통하여 메시야가 이 땅에 임했음을 의미한다(롬 15:12). 신약 성경의 마태복음 첫 부분에 분명히 소개되고 있는 것처럼, 이새로부터 다윗 왕을 거쳐 예수 그리스도에 이르는 메시야의 족보는 이 같은 사실을 잘 보여준다(마 1:6-16).

이새처럼, 우리들도 온 인류를 죄로부터 구원하실 메시야가 이 땅에 임하는 혈연적인 가계, 곧 메시야 족보를 형성하는 것처럼 중대한 일이 또 있을까! 그런 구속사의 중대한 일을 이룸에 있어, 이새는 다윗의 아버지로서 큰 별처럼 빛을 발한다. 하나님의 오묘하신 경륜을 좇아 메시야이신 예수 그리스도가 이새의 줄기, 이새의 뿌리를 통하여 이 땅에 임하셨기 때문이다. 오늘날 우리의 삶이나 지위가 그 옛날 이스라엘의 시골 마을인 베들레헴의 목부 이새처럼 아주 보잘것없는 것일 수 있다. 하지만 이새처럼 순수하고 소박한 마음 자세로 주어진 자기 일에 땀 흘리면서 성실하게 살아갈 때, 하나님은 작은 그릇을 들어 구속 역사의 큰 일을 이루어 가실 것이다. ✝

복되고 복된 베들레헴의 목부

이스라엘 작은 동리
베들레헴 산언덕에
양 떼들이 한가로이 풀을 뜯는다

아들 여덟을 둔
시골의 평범한 목부 이새는
천직(天職)인 양 어제처럼 오늘도
땀 흘려 양 떼를 치고
묵묵히 슬하의 아들들을 키우고 있었다

아, 누가 알았을까
시골 목부 이새의 가정이
메시야의 혈통을 이을
복되고 복된 가정이 되리란 것을!

교만한 사울을 버린 하나님은
이새 가정의 막내아들 다윗에게서
이스라엘의 소망을 찾고
메시야의 순을 틔울 그루터기를 발견하셨다네

그리하여 하나님은
이새의 아들 다윗을
이스라엘 왕으로 삼으시고
다윗과 메시야 언약을 맺으사
언약을 맺은 대로
다윗의 혈통을 통하여
인류의 구주 메시야를 이 땅에 나게 하셨나니

복되고 복된 베들레헴의 목부(牧夫) 이새여
인류 역사에 어느 가정 있어
이처럼 큰 영광 누릴 수 있을까
이스라엘 왕을 배출한
다윗의 아버지 이새여
인류의 영원한 왕을 배출한
메시야의 조상 이새여
영원토록 복되도다
이새의 줄기여, 이새의 뿌리여

42 왕관을 기꺼이 내준 다윗의 참된 친구 요나단

이스라엘의 용감한 전사 요나단이 활동하던 시기는 통일왕국 이스라엘의 초창기로, 부왕인 사울이 통치하던 때였다. 당시 이스라엘의 최대 위협은 지중해안에 살고 있던 블레셋 족속이었다. 요나단은 자신이 맡은 적은 군사로 게바에 진치고 있던 블레셋 수비대를 물리쳤다. 또 한 번은 이스라엘을 치려고 수많은 군사들을 동원하여 믹마스에 진치고 있던 블레셋 군대를 자기 병기 든 자를 데리고 홀로 나가 맞서 그들을 성공적으로 교란시켜 결국 승리를 거두기도 했다. 이로 볼 때 요나단은 이스라엘의 용감한 전사로서, 군사적인 지략이 뛰어난 인물이었음에 틀림없다. 특히 블레셋과의 전투에서, 요나단은 사울 왕이 맹세로써 금지시킨 음식을 먹어 처형당할 위기에 놓였는데, 다른 군사들이 필사적으로 변호해 줌으로써 생명을 구할 수 있었다. 이것은 요나단이 군대 지휘관으로서 부하들의 신망이 두터운 인물이었음을 보여 준다.

다윗의 진정한 친구 다윗에 대한 요나단의 우정은 순수했고 진실했으며 뜨거운 것이었다. 소년 다윗이 블레셋의 거인 장수 골리앗을 쓰러뜨린 때, 요나단의 마음이 다윗의 마음과 결합한 이후로 요나단은 모든 이해 관계를 초월하여 순수하고 진실되게 다윗과의 우정을 지켜 나갔다. 요나단의 부친 사울 왕은 다윗을 위협적인 정적(政敵)으로 보고 그를 죽이려고 혈안이 되었지만, 왕위를 계승할 위치에 있는 요나단은 오히려 아버지 사울 왕의 잘못을 지적하였다. 다윗을 변호하고 다윗의 목숨을 구하기 위해 온갖 노력을 다하였다. 한 걸음 더 나아가 요나단은 하나님의 섭리 아래에서 다윗이 결국 사울을 이어 이스라엘의 왕이 될 것임을 선언하였다. 후일 요나단이 죽었을 때, 다윗은 이러한 요나단의 우정을 잊지 못하여 그 우정이 여인의 사랑보다 승하였다고 회고하였다(삼하 1:26).

요나단을 본받아 블레셋의 큰 군대를 칠 때, 요나단이 홀로 보여준 용기는 만용이 아니었다. "여호와의 구원은 사람의 많고 적음에 달리지 아니하였다"(삼상 14:6)는 믿음에 근거한 것이었다. 그리고 사울을 피해 도피 중에 있던 다윗을 찾아가 장차 다윗이 이스라엘의 왕이 될 것이라고 말해 준 것도 하나님의 경륜에 순복하는 믿음에 근거한 것이었다(삼상 23:17). 이 같은 굳건한 믿음의 기초 위에서, 요나단은 이스라엘의 전사로서 담대한 용기를 가졌고, 다윗의 진정한 친구로서 변치 않는 우정을 보여 주었다. ✝

여인의 사랑보다 승한 우정

강력한 블레셋이
미약한 이스라엘을 위협하던 시기에
이스라엘에 진정한 용사
사울 왕의 아들,
요나단이 있었네

"여호와의 구원은
사람의 많고 적음에 달리지 아니하였다"는
굳센 믿음으로
블레셋의 큰 군대를 향해
홀로 용감히 나아가 그들을 물리친
요나단
그는 이스라엘의 참된 믿음의 용사라

강력한 사울 왕이
미약한 목동 다윗을 위협하던 시기에
이스라엘에 참된 우정
사울 왕의 장남,
요나단이 있었네

"요나단의 마음이 다윗의 마음과 연락되어
요나단이 다윗을 자기 생명같이 사랑하였다"
뜨거운 우정으로
아버지의 불의를 물리치고
정의의 친구 편에 서서
자기가 계승할 왕권을
기꺼이 물려준 요나단
이스라엘의 아름다운 우정의 화신(化身)이라

오늘 그대여
강력한 블레셋의 공격을 받고 있는가
요나단을 본받아 믿음으로 물리쳐라

오늘 그대여
친구와 우정을 나누고 있는가
요나단을 본받아 참된 우정을 키워라
여인의 사랑보다 승한 사랑으로
생명 걸고 친구를 사랑하여
요나단의 빛나는 우정의 발자취를 따라가라

43 하나님의 마음에 합한 자 다윗

이스라엘의 영원한 별,

메시아 예수의 조상

거인 골리앗을 쓰러뜨린 양치기 소년 이새의 여덟 아들 중 막내인 다윗. 고향은 작은 촌락 베들레헴이었다. 한마디로 그의 출신은 보잘것없었다. 소년 다윗은 평범한 목동으로 매일 양 떼를 돌보았다.

어느 날, 다윗은 아버지의 심부름으로 형들을 찾아간다. 그곳은 한창 블레셋과의 전선이 형성된 엘라 골짜기였다. 그때 다윗은 무시무시한 블레셋 거인이 여호와 하나님의 이름을 조롱하는 현장을 목격한다. 양치기 소년 다윗은 의분을 느끼고, 블레셋 거인과 담대히 맞서 만군의 여호와의 이름으로 물매를 날려 골리앗을 쓰러뜨린다. 양치기 소년 다윗이 이스라엘 역사의 무대 위에 그 모습을 확연히 드러내는 순간이었다.

사울 왕에게 쫓기고 또 쫓기는 고독한 도망자 "사울은 천천이요, 다윗은 만만이로다"(삼상 18:7). 이스라엘 여인들이 사울보다 다윗을 높여 부르는 노래이다. 그 당시 왕좌에 있던 사울 왕은 질투로 불타오르고, 왕좌의 위협을 느껴 다윗을 죽이려 한다. 이때부터 다윗은 억울하게 쫓기는 도망자의 신세가 된다. 마치 한 마리 벼룩처럼 유다 온 땅으로 이리저리 처량하게 쫓겨다닌다. 쫓기는 동안 사울 왕을 죽일 수 있는 기회도 여러 번 있었지만, 다윗은 기름 부음 받은 자 사울에게 결코 손대지 않았다. 대신 하나님을 의지하면서 믿음과 구원의 노래를 부른다. 시편의 주옥 같은 노래들은 대부분 이 시기에 쓰여진 것들이다. 황량한 유다 광야 곳곳에서 다윗의 신앙 고백의 노래들이 아름답게 울려 퍼진 것이다.

이스라엘을 열국의 으뜸으로 만든 위대한 통치자

마침내 다윗을 쫓던 자 사울이 죽자, 다윗은 이스라엘의 왕이 된다. 하나님의 도움으로 전쟁에서 이겨 이스라엘을 열국의 강자로 만든다. 하지만 일어선 자는 넘어질까 조심해야 하는 법. 권세와 명예와 부귀를 차지한 다윗은 하나님의 율법을 어기고 정욕으로 우리아의 처 밧세바를 범하고, 교만으로 온 땅의 인구 조사를 실시한다. 하나님은 선지자 나단을 보내고 선견자 갓을 보내어 다윗의 죄를 꾸짖으신다. 다윗의 다윗 됨은 바로 이 순간에 빛을 발한다. 다윗은 자신의 죄를 깨닫고 눈물로 회개하면서 겸손으로 무릎 꿇었다. 이 사실로 인해서 다윗은 '하나님의 마음에 합한 자'가 되고, 오늘날 메시야 예수의 직계 조상이 되는 찬란한 영광을 누리게 된다. ✝

내 영혼아, 하나님을 바라라

누가
구 척 장신, 무적의 거인 골리앗을 쓰러뜨렸는가
그는 만군의 여호와의 이름으로 물매를 던진
양치기 소년,
작은 거인 다윗

누가
자신을 죽이려는 자, 사울을 향해 용서를 베풀었는가
그는 쫓기는 유다 광야에서 오직 하나님을 노래한
궁중 악사,
믿음의 사람 다윗

누가
팔레스타인의 작은 땅, 이스라엘을
열국의 으뜸으로 만들었는가
그는 하나님의 도움으로 전쟁과 전쟁에서 승리한
이스라엘의 왕,
위대한 통치자 다윗

그러나 또 누가
우리아의 처, 밧세바와 불륜을 범했는가
그는 불륜을 감추기 위해 충성된 신하를 사지로 몰아넣은
정욕의 인물, 다윗

그러나 그 누가
통일 왕국 이스라엘, 그 넓은 땅을 자기 것으로 알고
인구 조사를 시켰는가
그는 베들레헴 시골 땅에서 이새의 막내아들로 태어난
교만의 인물, 다윗

다윗이여,
진정 그대는 하나님과 죄를 동시에 사랑했는가
진정 무엇이 그대를
오늘날 '하나님의 마음에 합한 자' 다윗 되게 했는가

불륜을 꾸짖는 선지자 나단의 책망을 듣고
온 침상을 적신 그대의 눈물을 보라,
지금도 흐르고 있는 회개의 눈물을
인구 조사를 나무라는 선견자 갓의 책망을 듣고
맨땅에 무릎 꿇은 그대의 무릎을 보라,
지금도 꿇고 있는 겸손의 무릎을

그리하여
주홍의 죄를 덮고도 남는 하나님의 크신 사랑으로 인해
이스라엘의 영원한 별, 다윗이 되었어라
메시야 예수의 조상, 다윗이 되었어라

44 하나님께서 쓰신 이방의 선한 도구 히람

다윗의 좋은 친구, 솔로몬의 좋은 협력자

히람과 다윗 '후람'(대하 2:3)으로 불리기도 하는 '히람(Hiram)'은 통일왕국 이스라엘의 두 왕인 다윗과 솔로몬 시대에 베니게 지역의 두로 왕이었다. 두로(Tyre)는 베니게 지역에서 최남단에 있는 가장 유명한 고대 항구 도시였다. 당시 두로는 이스라엘에 비해 해상 무역과 건축술 등의 물질 문명이 발달한 반면 농산물이 부족하였다. 두로 왕 히람과 이스라엘 왕 다윗은 서로에게 호감을 가지고 친밀하게 교류하였는데, 처음 둘 사이의 우정은 상호의 필요에 의해서 생겨났다. 두로 왕 히람은 이스라엘의 농산물이 필요했고, 이스라엘 왕 다윗은 두로의 건축 기술이 필요했기 때문이다. 그래서 히람은 다윗에게 목재와 기술자를 보내어 다윗 궁 건축을 지원해 주었고, 그것에 대한 답례로 다윗은 히람에게 밀과 기름 등을 제공해 주었다. 이렇게 둘 사이에 신실한 무역 교류가 진행되면서 자연스럽게 상대방에 대한 호감과 우정도 탄탄해져 갔던 것이다. 요컨대 히람과 다윗은 가까운 이웃 나라의 왕으로서, 서로에게 도움을 주는 좋은 친구 관계를 유지했다.

히람과 솔로몬 두로 왕 히람과 이스라엘 왕 다윗과의 좋은 우정 관계는, 다윗이 죽고 다윗의 아들 솔로몬이 이스라엘 왕이 되었을 때에도 계속 이어졌다. 그래서 솔로몬이 왕으로 즉위할 때 두로 왕 히람은 축하 사절단을 솔로몬에게 파견했다(왕상 5:1). 그리고 다윗 왕 때와 마찬가지로, 솔로몬의 성전 건축을 위해 자재와 목공과 석공 등을 아낌없이 지원해 주었다. 뿐만 아니라 두로 왕 히람은 솔로몬의 무역 활동을 적극적으로 도와 배와 선원을 지원해 주기도 하였다. 그래서 솔로몬은 히람의 협력에 보답하는 마음으로 이스라엘 북쪽 갈릴리 땅의 20개 성읍을 선물로 주었다. 이처럼 두로 왕 히람은 다윗에 이어 솔로몬과도 좋은 협력 관계를 계속 유지하였다.

'히람'이 주는 성경적인 교훈 히람은 비록 하나님을 알지 못하는 이방 나라의 왕이었지만, 다윗의 좋은 친구요 솔로몬의 좋은 협력자로서 이스라엘의 중요한 건축 사업에 큰 도움을 준 인물이었다. 이 같은 사실은, 이방인들이 무조건 배척의 대상이 아니라 때때로 상호 협력의 대상이 될 수 있음을 보여 준다. 뿐만 아니라 성전 건축 사업에 이방의 왕과 그의 기술자들이 적극 참여했다는 사실은 후일 신약 시대의 교회에 이방인들이 적극적으로 참여하여 활동할 것임을 시사해 주는 대표적인 사건이라고도 볼 수 있다. ✝

다윗을 위하여, 솔로몬을 위하여

누구의 도움으로
다윗의 궁전을 지을 수 있나
누구의 도움으로
솔로몬의 성전을 지을 수 있나

다윗 궁전을 지어야 하는데
솔로몬 성전을 지어야 하는데
이스라엘 땅에는
좋은 건축 자재가 없고
숙달된 건축 기술자가 부족하네

찬양하여라
하나님의 예비하심을
여호와 이레의 축복을
하나님이 보내신 이는
이방의 두로 왕 히람이라

풍부한 건축 물자와
뛰어난 건축 기술을 가진 그는
다윗의 친구로서 다윗을 위하여,
솔로몬의 협력자로서 솔로몬을 위하여
건축 물자를 기꺼이 공급하고
건축 기술자를 즐겨 지원했으니
히람이 있어
다윗 궁전이 우뚝 세워지고
솔로몬 성전이 견고하게 세워졌네

보라,
하나님은 거룩한 당신의 뜻 이루기 위하여
이방인도 선한 도구로 즐겨 쓰심을!
그리하여 하나님은
장차 신약 교회를 건축하실 때에도
이방인들을 기꺼이 참여시켜
그들의 헌신과 예물과 땀으로
주님의 몸 된 교회를 일구어 세우셨도다
오늘 히람을 통해 그 신비로움 깨닫게 되네

45 다윗 집에 충성한 신실한 대제사장 사독

다윗 가문을 지키고,
대제사장 직분을 지키고

그는 누구인가 '사독'이라는 이름의 뜻은 '의롭다'인데, 그는 아론의 아들 엘르아살의 후손으로서 아히둡의 아들이다(대상 24:3; 삼하 8:17). 사독은 이스라엘의 초대 왕 사울이 죽은 이후, 통일왕국의 기초를 굳게 다진 다윗 왕과 이스라엘의 경계를 최대로 넓힌 솔로몬 왕 시대에 이스라엘의 대제사장으로서 활약한 중요한 인물이다.

다윗 가문을 지킨 신실한 대제사장 사독이 다윗 집과 인연을 맺은 때는, 사울이 죽은 후에 사독이 자기 집에 딸린 스물두 명의 군장(軍長)을 이끌고 헤브론에 있는 다윗을 찾아가 그에게 스스로 가담한 때부터였다. 그리고 다윗의 통치 초기인 이때부터 사독은 변치 않는 신실한 마음으로 다윗 집에 충성을 다했다. 사독이 다윗에게 합류했을 당시, 다윗에게는 '아비아달' 이라는 대제사장이 있었기 때문에, 사독은 아비아달과 더불어 하나님의 성전을 관리하고 지켰다. 이후 압살롬이 반역을 일으켰을 때 사독은 다윗의 명을 받아 예루살렘을 지키면서 다윗의 환궁을 위해 노력하였다. 그리고 다윗 말년에 아도니야가 다윗의 뜻을 거스르고 거사(擧事)를 일으켰을 때는 대세를 좇지 않고 끝까지 다윗 집에 충성하여 다윗의 정통 후계자인 솔로몬에게 기름을 부어 그를 왕으로 옹립하였다. 한편, 이때 아비아달은 대세를 좇아 아도니야의 편에 가담했다가 솔로몬이 왕이 되자 멀리 시골로 추방당했다. 이로 인해서 사독은 이스라엘의 유일한 대제사장 직분을 수행하는 영광을 누리게 되었다.

사독 가문이 누린 영광 다윗과 솔로몬 시대에, 압살롬의 반역과 아도니야의 거사라는 큰 정치적인 소용돌이 속에서도 전혀 흔들리지 않고 끝까지 다윗 집에 충성한 결과, 사독에게는 영광스러운 상급이 뒤따랐다. 대세를 좇아 다윗 집에 대한 신의를 저버린 대제사장 아비아달 가문이 몰락한 반면, 신의로써 다윗 집을 끝까지 지킨 사독의 가문은 솔로몬 이후 바벨론 포로기를 거쳐 신약 시대에 이르기까지 대제사장의 직분을 계속 감당할 수 있었다. 다윗 집을 향한 이 같은 사독의 신실한 삶의 자세는 오늘날 우리들에게 한 가지 뚜렷한 교훈을 준다. 그것은 생명을 걸고서라도 주님과 주님의 몸 된 교회를 위해 끝까지 충성을 다하는 자에게는 반드시 그에 따른 상급이 주어진다는 사실이다. 그것은 후일 성령이 서머나 교회를 향해 약속하신 것과 같은 것이다. "네가 죽도록 충성하라, 그리하면 내가 생명의 면류관을 네게 주리라"(계 2:10). ✝

오직 한 집을 한 마음으로

당장의 권력을 좇아
눈앞의 이익을 좇아
달면 삼키고 쓰면 뱉는 무리들
시류(時流)에 휩쓸려
갈대처럼 이리저리 흔들리고
부초처럼 왔다갔다 춤추는
뭇 군상(群像)들의 씁쓸한 모습들

여기 사독을 보라
'의롭다' 이름하는 대제사장 사독은
다윗과 솔로몬 시대에
변치 않는 마음으로
흔들림 없는 굳센 신의로
다윗을 섬겼네
솔로몬을 받들었네

하나님께 버림받은 사울 왕이 죽자
하나님께 선택받은 다윗 왕을 찾아가
다윗 집에 충성을 맹세한 그날부터
압살롬이 모반할 때에도
외로이 남아 예루살렘 왕궁을 지켰던 그

다윗 왕조 말년에
아도니야가 대세를 잡고 거사를 일으켰을 때에도
아도니야를 좇지 않고
다윗 곁에서
다윗의 뜻 받들어
어린 솔로몬에게 기름을 부었네

하여, 대제사장 사독은
목숨 걸고 죽을힘 다해
다윗 집 지키고
하나님 집 지켰어라

오늘, 배반과 변절의 캄캄한 시대 속에서
드높은 신앙의 지조로
다윗 집 지켜, 하나님의 뜻 높이 받든
사독의 그 충절이 길이길이 빛나네

46 하나님 성전의 성가대 지휘자 헤만

찬양으로 영광을,
말씀으로 진리를!

성전의 성가대 지휘자 레위 지파 소속인 헤만은 그핫의 후손이며, 사무엘의 손자이고, 요엘의 아들이다. 그는 다윗 왕이 통일왕국의 기초를 다지고, 예루살렘에 다윗 성을 수축한 후 그곳에 법궤를 안치하여 성전의 제사 제도를 대대적으로 정비하던 시기로부터 솔로몬 왕의 치세 중반에 이르는 시기까지(주전 1003-945년경), 아삽 및 여두둔과 더불어 성전의 성가대 지휘자로 활약한 인물이다. 국가적인 차원에서 성전 예배가 대대적으로 정립되고 크게 활성화되던 다윗과 솔로몬 시대에 예루살렘 성전의 성가대 지휘자로 임명받았던 것이다. 이 사실은 헤만이 모두에게 인정받는 탁월한 음악적인 재능을 소유했음과 동시에, 그가 하나님 앞에서 신실한 신앙의 인물이었음을 보여 준다. 실제로 헤만은 놋제금을 크게 치는 자로 명성을 떨쳤으며(대상 15:19), 또한 성가대 지휘자로서 거룩한 노래를 작곡하고 다양한 악기의 연주를 통해서 성전 예배의 찬양 규범을 만드는 지대한 업적을 세우기도 하였다.

왕의 선견자 역대상 25장 5절을 보면, 헤만은 "하나님의 말씀을 받드는 왕의 선견자"라고 소개되고 있다. 선견자(先見者)는 '선지자'라는 말의 옛 명칭으로서(삼상 9:9), 선지자와 동일한 의미로 사용되고 있다. 이로 볼 때, 헤만은 자신에게 주어진 예언자적 소명과 삶에 충실하여 때를 따라 하나님의 말씀을 왕에게 선포하기도 했음을 알 수 있다. 이 사실은, 헤만이 단지 음악적인 재능만 탁월하여 성전의 성가대 지휘자로 임명된 것이 아니라, 그에 합당하게 신실한 여호와 신앙이 뒷받침되었다는 사실을 보여 준다. 따라서 헤만이 인도하고 지휘하는 예루살렘 성전의 찬양 예배는 하나님께 영광 돌리는 거룩한 찬양이 될 수 있었다.

나의 재능은 무엇인가? 헤만은 하나님으로부터 음악에 대한 특별한 재능을 받은 자로서, 자기 재능을 충분히 활용하여 악기를 다루거나 찬양하는 일로 하나님께 영광 돌린 인물이다. 자신에게 주어진 재능을 알아 그것을 잘 계발하고 십분 활용하여 하나님께 영광 돌린 헤만의 삶은 오늘날 우리들에게 좋은 모범이 된다. 우리들 각자는 하나님께 이런저런 고유한 재능을 받았음에도 불구하고, 그것을 깨닫지 못하거나 무시함으로써 그 재능을 썩히는 어리석음을 범하곤 한다. 하나님께서 주신 나의 재능은 무엇인가? 그것을 깨닫고 소중히 여기는 데서부터 삶의 참된 의미를 추구할 수 있을 것이다. ✝

지휘하라, 하나님 성전의 성가대를!

"할렐루야,
호흡이 있는 자마다
여호와를 찬양할지어다"

사람으로 지음받아
숨을 쉬듯
마땅히 해야 할 있이 있다면
그것은 창조주 하나님을 찬양하는 일

다윗과 솔로몬 시대에
하나님의 성전에서
성가대의 지휘봉을 잡고
하나님을 소리 높여 찬양한
복된 인물
레위 사람 헤만

천재적인 음악성과
탁월한 여호와 신앙으로
다윗 왕에 의해
예루살렘 성전의 성가대 지휘자로
임명받았네

하나님의 법궤가
다윗 성에 안치될 때에
성전 성가대를 지휘하여 하나님께 찬양드렸네
솔로몬 시대에
하나님의 성전이 봉헌될 때에도
세마포 입고
성전 성가대를 지휘하여 하나님께 찬양드렸네

오, 헤만이여
놋제금을 크게 치는 그대여
하나님 성전의 성가대를 지휘하는 그대여
찬양과 감사가 없는 이 삭막한 시대에
다시금 단상에 올라 지휘봉을 잡으소서
수금과 비파와 제금을 크게 울려
아름다운 찬양 소리가
우리들 마음속에 가득 울려 퍼지게 하소서

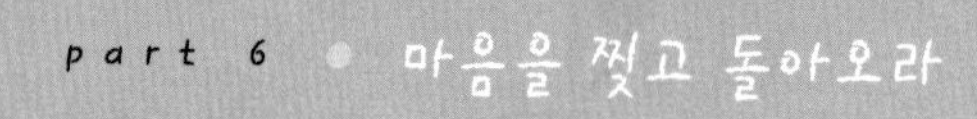
part 6 ● 마음을 찢고 돌아오라

갈멜산

47 범죄 중에도 은총 입은 여인 밧세바

우리아의 처 밧세바 엘리암의 딸인 미모의 여인 밧세바는 다윗의 장수인 헷 사람 우리아와 결혼하여 그의 처가 된다. 어느 날 해질녘, 우리아의 처 밧세바는 집 뒤뜰에서 목욕을 한다. 그곳은 저 위로 왕궁이 보이는 장소. 당시 남편 우리아는 이스라엘의 장수로서 암몬과의 전투에 출전 중이었다. 해질녘 황혼의 아름다움 속에서 펼쳐지고 있는 밧세바의 목욕 장면은 육감적인 황홀한 자태를 연출했을 게 분명하다.

다윗의 아내가 된 왕후 밧세바 그때 다윗은 침상에서 일어나 왕궁의 지붕 위를 한가롭게 거닐고 있었다. 당시의 나라 형편이 전쟁 중임을 생각한다면, 다윗은 그때 왕궁의 지붕 위가 아니라 전장의 막사에서 지휘봉을 잡고 있든지 아니면 하나님의 성전에서 기도하고 있어야 했다. 하지만 다윗이 침상에서 일어나 한가롭게 왕궁 지붕을 노닐 때부터 이미 정욕의 불씨는 타오르고 있었다. 그러한 다윗의 눈에 비친, 저 아래 목욕하는 아리따운 알몸의 여인. 다윗은 당장 그 여인이 누군인지 알아보게 했고, 그녀가 자신의 부하 장수인 우리아의 처 밧세바인 줄 알면서도 정욕에 못 이겨 그녀를 왕궁의 침실로 불러들인다.

그렇다면 우리아의 처 밧세바는 왜 다윗의 부름에 거절하지 않았는가! 여인의 외로움이었을까? 영웅을 향한 흠모였을까? 아니면 권세를 향한 야심 때문이었나? 우리는 그 이유를 알 길이 없다. 다만 그것이 하나님의 율법을 범한 무서운 불륜의 죄라는 사실밖에는….

솔로몬의 어머니가 되어 메시야 족보에 오른 밧세바 밧세바의 불륜은 남편 우리아를 억울하게 죽게 만들고, 불륜의 씨앗인 어린 자식까지 숨을 거두게 만든다. 그렇다면 불륜의 당사자인 밧세바는 어찌 되었을까? 놀랍게도 그녀는 하나님의 은총을 입는다. 그녀의 죄보다 훨씬 더 큰 하나님의 긍휼로 인해 그녀의 아들 솔로몬은 다윗의 왕위를 계승한다. 그리하여 훗날 메시야 예수의 족보에 솔로몬의 어머니로서 그녀의 이름이 오른다. 하지만 이 사실에 주목하자. 하나님은 그녀를 다윗의 아내로서가 아니라 '우리아의 아내'로서 여전히 기억하고 있다는 사실을. "다윗은 우리아의 아내에게서 솔로몬을 낳고…"(마 1:6). ✝

우리아의 처여, 솔로몬의 어머니여

한 여인이 뒤뜰에서 옷을 벗는다
왕궁 옆, 그 아래에서 목욕을 한다
비너스의 화신인가
목욕하는 여인, 밧세바의 아름다운 자태여

한 남자가 왕궁 지붕 위를 거닐다
저 아래에서 목욕하는 알몸의 여인을 본다
영혼의 어지럼증으로 쓰러졌는가
이스라엘의 왕, 다윗의 정욕의 눈길이여

사내의 품을 바라는 여인의 외로움이었나
영웅 다윗을 향한 여인의 흠모였나
아니면, 절대 권력을 추구한 여인의 야심이었나

다윗의 부름에
밧세바는 미소짓고 왕궁으로 나아간다
그리하여 둘은 사랑의 불길에 온몸을 던진다
아, 그러나
밧세바는 우리아의 처, 다윗은 우리아의 주군
그렇게 불륜과 배신의 어둔 밤은 깊어만 가고…

밧세바여, 알고 있는가
죄의 값은 죽음이란 것을
보라
전쟁터에서 억울하게 죽어 간 남편 우리아의 피를,
세상에 태어난 지 칠 일 만에 이유도 모른 채 죽어 간
불륜의 어린 자식을

밧세바여, 감사하고 있는가
죄보다 큰 하나님의 긍휼을
보라
그대의 아들 솔로몬에게 다윗의 왕위를 계승해 준
하나님의 은총을,
영광스런 메시야의 족보에 올려져 있는 그대의 이름을

오늘날
누가 밧세바를 향하여 저주의 돌을 던지랴
다만 죄의 몸을 통해서라도 다윗 가문의 혈통을 잇게 하신
하나님의 구속 사역을 찬양할 뿐!

48 지혜와 용기를 갖춘 직언의 선지자 나단

궁중 예언자 나단 예언자는 하나님께 받은 메시지를 그대로 전달하는 사명을 맡은 자들이다. 그 중에서 왕이 사는 궁중을 주무대로 삼아서 활동하는 자를 '궁중 예언자'라고 부른다. 다윗 시대에는 '나단'이란 인물이 궁중 예언자로 활동하고 있었다. 왕의 행동과 결정이 한 국가의 운명을 좌우하는 왕정 시대에서, 왕을 하나님 앞에 올바로 세워 주는 궁중 예언자의 역할은 지대했다. 왕이 하나님의 말씀에서 벗어나 불의를 행하고 있을 때, 궁중 예언자가 침묵하거나 혹은 적당히 타협한다면, 그 왕과 나라의 운명은 어찌 될 것인가!

지혜로써 다윗 왕의 죄를 일깨워 준 나단 때가 왔다.

궁중 예언자로서 왕의 죄를 지적할 때가 온 것이다. 그 동안 하나님께 신실했던 다윗 왕이 우리아의 처 밧세바와 불륜을 저지르고, 또 그 사실을 숨기기 위해 전장에 있던 충신 우리아를 적군의 손에 죽게 만든 것이다. 요컨대 다윗은 십계명의 제6계 살인죄와 제7계 간음죄를 저질렀다.

이때 나단은 다윗 왕에게로 나아간다. 분명 이때의 다윗은 이전의 다윗과는 확연히 다른, 죄 중에 빠진 무섭고 차가운 인물이었다. 그래도 나단은 목숨을 걸고 나아간다. 그것은 용기였다. 나단의 용기는 그의 지혜로써 더욱 빛났다. 왕 앞에서 나단은 비유를 든다. 이른바 '가난한 자의 작은 암양 새끼 비유' 이다. 많은 가축을 가진 부자가 손님을 접대하기 위해 가난한 자의 애지중지하는 작은 암양 새끼 하나를 빼앗았다는 비유에 다윗은 격분한다. 그리고 그 일을 행한 자는 마땅히 죽어야 한다고 판결한다.

용기로써 다윗 왕을 참회케 한 나단 이제 나단은 직언한다. "당신이 그 사람이라." 그 악한 부자는 '다윗' 이요, 가난한 자는 '우리아' 이고, 작은 암양 새끼는 '밧세바' 라는 말이다. 이에 다윗은 미몽에서 깨어나듯 자기 죄를 깨닫는다. 그리고 눈물로 회개한다. "내가 여호와께 죄를 범하였노라." 시편 51편은 이때 지은 다윗의 참회시이다.

궁중 예언자 나단! 비록 그의 몸은 화려한 궁중에 있었지만, 예언자 정신은 척박한 유대 광야의 세례 요한과 같았다. 후일에 나단은 하나님의 뜻을 좇아 솔로몬을 다윗의 후계자로 세워 기름 붓는다. 그가 이스라엘 궁중에 있었기에, 타락한 다윗이 죄를 회개할 수 있었고 솔로몬이 왕위를 계승할 수 있었다. ✝

왕의 죄를 꾸짖다

불의가 있는 곳에
하나님의 진리를 외치는 자, 그의 이름은 예언자
유대 광야에 세례 요한이 있었다면,
다윗의 궁중에는 나단이 있었다

불륜과 살인의 죄가 다윗의 궁중에 뒤엉켜 있던 그때
한 예언자가 다윗 왕에게로 나아간다
아직도 밧세바와 범한 불륜의 정욕이 남아 있고
우리아를 죽게 만든 살인의 차가운 눈빛이 남아 있는
다윗 왕을 향해 목숨 걸고 나아간다
그는 궁중 예언자, 나단

절대 권력자 앞에서
두려움 없이, 타협 없이
다윗의 죄를 깨닫게 하는 나단의 저 지혜를 보라
가난한 자의 작은 암양 새끼 비유로
다윗의 죄를 꾸짖는 나단의 저 용기를 보라

나단의 지혜는
다윗을 죄의 올무에서 건져 올렸다
나단의 용기는
다윗을 회개의 길로 인도했다

다윗에게 '다윗 언약'을 알려 준 복된 입이여
솔로몬에게 기름 부어 이스라엘의 왕위를 견고케 한
구국의 손이여
죄를 죄로 깨닫도록 이끈 아름다운 지혜여
눈물로 침상이 젖도록 왕의 참회를 가져온
직언의 용기여
다윗 왕의 공과를 여과 없이 기록한 직필이여

그대는 하나님의 충성된 예언자,
나단이라
그대가 거기 있어
다윗이 다윗이고
솔로몬이 솔로몬이라

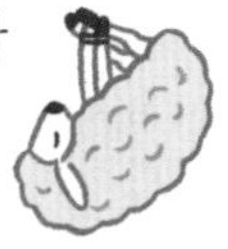

49 약삭빠른 기회주의자 시므이

다윗을 저주하고,

솔로몬에게 처형되고

다윗을 저주하다 다윗과 솔로몬의 통치기에 살았던 게라의 아들 시므이는 베냐민 사람으로 사울 왕의 친족이다. 그는 친족인 사울 가문이 다윗 때문에 왕권(王權)을 잃었다고 생각하고 평소부터 다윗을 미워했다. 그러던 중 압살롬의 반란으로 예루살렘에서 쫓겨가는 다윗을 보고, 그는 기다렸다는 듯이 다윗 일행을 따라가면서 저주한다. "피를 흘린 비루한 자여, 가거라!" 하면서 돌을 던지고 티끌을 날린다(삼하 16:13). 이에 다윗의 장수인 아비새가 격분하여 시므이를 당장 죽이려고 했지만, 오히려 다윗은 아비새를 말린다. 혹시 그로 인해 여호와께서 자신의 원통함을 감찰해 주실 수도 있다고 위로받으면서, 시므이의 저주를 달게 받아들였다.

솔로몬에게 처형되다 압살롬의 반란이 평정되고 다윗이 다시 예루살렘으로 환궁하게 되자, 시므이는 상황이 바뀌었음을 알아채고 재빨리 다윗의 환궁 길을 영접하면서 자신의 과거 잘못을 빌고 용서를 구함으로써 생명을 건졌다. 이런 사실은, 시므이가 정치적인 상황에 민감하게 반응하는 약삭빠른 기회주의적 성격을 지닌 자임을 보여 준다. 세월이 흘러 다윗이 죽고 솔로몬이 즉위한 때, 솔로몬은 시므이를 불러 예루살렘을 벗어나면 처형될 것이라는 엄중한 경고와 함께 예루살렘 밖으로 나가지 말라는 주거 제한 조치를 내렸다. 그런데 그로부터 3년 후에, 시므이는 이 명령을 어기고 도망간 종을 찾으러 예루살렘을 벗어났다. 예루살렘을 벗어나면 죽음을 면치 못한다는 사실을 알면서도 도망간 종을 추격해 간 것을 보면, 시므이는 자기 재물에 욕심이 많고 충동적인 성격의 소유자였던 것 같다. 이로 인해 시므이는 결국 솔로몬에 의해 처형되고 말았다. 이것은 시므이를 처형할 때 솔로몬이 언급한 대로, 여호와께서 시므이의 악을 마침내 그의 머리로 돌려보내신 것이다 (왕상 2:36-46).

어리석은 시므이의 길 시므이는 사울의 왕권을 폐하고 다윗의 왕권을 일으켜 세운 분이 하나님이라는 사실을 깨닫지 못하고, 편협한 혈연주의에 빠져 다윗을 저주하는 어리석음을 범했다. 구속사를 보는 신앙의 통찰력이 없었던 것이다. 기회주의적 처신으로 목숨을 잠시 연장할 수는 있었지만, 결국 재물에 대한 욕심과 충동적인 성격으로 스스로 몰락하고 말았다. 오늘 우리는 시므이의 실패를 교훈삼아야 한다. ✝

자기 악이 결국 자기 머리로!

하나님의 크신 뜻을 깨닫지 못하고
편협한 혈연(血緣)에 얽매여
크고 바른 길을 가지 못하고
눈앞의 작은 골목 헤매다가
끝내 나락으로 굴러 떨어진 어리석은 자
베냐민 사람 시므이

그는
자기 친족인 사울을 대신하여
다윗이 왕위에 오르자
다윗을 미워하고 증오했네

압살롬의 반란으로
다윗이 예루살렘 궁성에서 쫓겨갈 때
산비탈 가로질러 좋아하며 따라가서
저주의 돌과 티끌을 한껏 날렸다네

그러나 그는 약삭빠른 기회주의자
압살롬의 반란이 평정되고
다윗이 예루살렘으로 환궁할 때는
재빨리 다윗 왕 앞에 엎드려
목숨을 구걸하며 용서를 빌었네
하나님의 큰 그릇 다윗은
지난날의 능욕과 모멸을 덮고
시므이의 목숨을 살려 주었네

목숨을 건진 시므이
예루살렘을 벗어나면 죽음을 면치 못한다는
다윗의 아들 솔로몬 왕의 엄명을 어기고
달아난 종을 찾아 추격하여
예루살렘을 벗어나고 말았다네

그리하여 시므이
왕명을 어긴 죄로
마침내 처형대에 서고 말았네
다윗에게 저지른 악이 결국 자기 머리로 돌아갔음이라
약삭빠른 기회주의자의 필연적인 말로여!

50 선행을 베푼 노부호 바실래

순수한 마음으로
자기 창고를 열다

필요한 베풂을 베풀다 다윗의 아들 중 하나인 야심가 압살롬은 은밀하고도 오랜 준비 끝에 아버지의 왕위를 빼앗고자 다윗을 대항하여 반란을 일으켰다. 압살롬의 반란은 성공할 것처럼 보였기 때문에, 그에게로 민심이 많이 돌아섰고, 특히 옛 사울 왕의 일족인 베냐민 사람 시므이 같은 자는 예루살렘 왕궁을 떠나 도피하는 다윗을 향해 "가거라, 가거라, 비루한 자여!" 하면서 공개적인 저주를 퍼붓기도 했다.

자식의 반란을 지켜봐야 했던 다윗의 심정은 참담했고, 다윗 왕의 뜻을 받들어 예루살렘 왕궁을 내어 주고 피난길에 올라야 했던 다윗의 군대는 처량했다. 이런 다윗 일행이 요단 강을 넘어 마하나임에 이르렀을 때, 도망에 도망을 거듭하느라 지치고 굶주렸던 다윗 일행에게 풍성한 원조를 베푼 손길이 있었다. 바로 길르앗 지역의 부호인 바실래였다.

그는 다윗이 꼭 필요로 할 때, 꼭 필요한 물품들을 가지고 다윗을 찾아왔다. 그러한 바실래의 도움은 단순히 물질만 제공해 주는 것이 아니라, 다윗 일행의 필요를 세심하게 헤아린 도움이었다. 이렇게 멀고 낯선 곳에서 꼭 필요한 도움을 받은 다윗과 그의 군대는 다시금 새로운 원기를 얻어 전열을 정비한 후에 압살롬의 군대와 맞서 싸워 이겼다.

순수한 베풂을 베풀다 에브라임 수풀에서 있었던 대전투에서 압살롬의 반란을 진압한 후 다윗은 바실래의 도움을 잊지 않았다. 그래서 예루살렘 왕궁으로 복귀하면서 다윗은 바실래의 미래를 보장하면서 자신과 함께 동행하기를 원했다. 하지만 바실래는 팔십 노인이 된 자신이 다윗에게 누를 끼칠 것을 우려하여 정중히 사양했다. "어찌하여 종이 내 주 왕께 오히려 누를 끼치리이까"(삼하 19:35). 이처럼 어려움과 곤경에 처한 다윗 일행에게 도움을 베푼 바실래의 선행은 조건 없는 순수한 것이었다. 아무런 이해타산 없이, 곤경에 처한 자에게 자신의 창고를 열어 베풂의 기쁨으로 도움을 준 순수한 것이었다.

오늘 그 베풂을 배우자 이 시대 우리들도 곤경에 처한 자들에게 이런저런 도움을 베푼다. 하지만 그것은 곤경에 처한 자들의 입장을 깊이 헤아린 꼭 필요한 베풂인가? 그 무엇도 바라지 않는, 그저 베푸는 기쁨으로 베푸는 순수한 것인가?

이기적인 베풂이 가득 찬 이 시대에, 바실래의 베풂은 그래서 더욱 귀하다! ✝

순수한 손길, 넉넉한 마음이여

순수하게 주는 자의 기쁨을 아는가
아낌없이 베푸는 자의 넉넉함을 아는가

다윗 왕이
아들 압살롬의 반란으로
고달픈 도피 길에 지쳐 있을 때
순수하고 넉넉한 베풂으로
다윗 왕에게 나아온 자가 있었다

들판에서 시장하고 곤하고 목마를 것을 생각하고
침상과 대야와
볶은 곡식과 콩과 팥과
꿀과 버터와 치즈를 가지고 나와
그 요긴한 필요를 구석구석 채워 준 손길이 있었다
그는 요단 동편의 길르앗 사람,
바실래였다

압살롬의 반란을 평정한 후
예루살렘 왕궁으로 돌아가던 다윗 왕은
바실래의 고마움을 잊지 못해
함께 왕궁으로 갈 것을 권했다
"나와 함께 가자
예루살렘에서 내가 너를 공궤하리라."
그러나 바실래는 정중하게 사양했다
"어찌하여 종이
내 주 왕께 오히려 누를 끼치리이까."

오, 바실래여
그대의 베풂은 계산이 없구나
순수하다, 그 손길이여
멋지다, 그 인품이여

그대여, 보았는가
베풂의 기쁨으로 베푸는 그 손길을
바라지 않고 그저 주는 그 넉넉함을
계산만이 있는 이 척박한 시대에
그래서 더욱 그립구나, 바실래여

51 끝까지 지혜롭지 못한 지혜의 왕 솔로몬

성공과 실패의 이중주

솔로몬의 성공 솔로몬은 예루살렘에서 다윗이 우리아의 아내 밧세바에게서 낳은 아들이다. 다윗이 통일왕국 이스라엘의 정치, 경제, 군사적 기반을 탄탄히 닦았던 시기에 솔로몬은 다윗에 이어 이스라엘의 세 번째 왕으로 즉위했다(주전 970년경). 어린 시절 나단 선지자의 신앙 교육을 받고 자란 솔로몬은 20세의 젊은 나이에 왕위에 오르고, 기브온 산당에서 일천 번제를 드려 하나님께 지혜를 구했다. 그 결과 솔로몬은 하나님의 은혜로 지혜뿐만 아니라 부귀와 영광까지 얻었다. 그래서 솔로몬 왕국은 이스라엘 역사상 최대의 판도를 형성하는 가운데 정치, 경제, 군사적인 면에서 최고의 번영을 구가했다. 솔로몬 개인은 지혜가 탁월하여 현명한 재판을 했고, 많은 잠언과 시를 썼다. 성경의 잠언 대부분과 전도서 및 아가, 그리고 몇몇 시편의 시들은 오늘날까지도 우리에게 전해져 내려온다. 무엇보다 솔로몬은 이스라엘의 오랜 숙원 사업이었던 하나님의 성전을 건축하고, 또한 화려한 왕궁을 세웠다. 요컨대 솔로몬은 인간이 바라고 얻을 수 있는 모든 성공을 얻었던 것이다.

솔로몬의 실패 솔로몬 왕국의 부요와 명성이 극에 달하면서, 세속적인 타락의 위험도 따라왔다. 그 중 하나는 솔로몬이 주변 나라들과 교류하면서 숱한 정략 결혼을 통해 많은 이방의 처첩들을 두게 된 것이다. 그 결과 이방의 우상 문화가 이스라엘에 깊숙이 파고들었다. 그래서 솔로몬 말년에는 이스라엘 곳곳에 우상의 제단들이 세워지게 되었고, 솔로몬의 마음도 하나님을 떠나 우상에게로 기울게 되었다. 다른 하나는 지나친 사치와 무리한 건축 사업으로 백성들에게 과도한 세금을 부과한 것이다. 그것은 백성들의 생활을 도탄에 빠뜨려 마침내 왕에 대한 충성심이 동요되어, 나라가 분열되는 빌미를 제공하기에 이르렀다.

성공의 길, 실패의 길 통치 전반부에 솔로몬이 크게 성공할 수 있었던 비결은 무엇인가? 자신의 약함을 인식하고 하나님께 겸손히 지혜를 구하며 오직 하나님을 경외하고 의지한 데 있었다. 그렇다면 통치 후반부에 이르러 왜 솔로몬은 급속도로 실패의 길을 걸었는가? 그것은 하나님을 떠나 자신의 인간적인 생각에 의존하여 세속적인 방법을 통해 나라를 끌고 나간 데 있었다. 바로 여기에 모든 시대를 초월하여, 성공의 길과 실패의 길에 대한 영원한 성경의 해답이 들어 있다. ✝

여호와를 경외하는 것이 지혜의 근본이거늘

기브온 산당에
일천 번제 연기가 피어올랐네
부귀도, 장수(長壽)도 구하지 않고
오로지 하나님 맡기신 나라와 백성
어질고 바르게 다스릴 지혜를 구했네
이를 기뻐하신 하나님,
지혜뿐 아니라
부귀와 장수도 함께 주셨다네

하여 솔로몬,
이십 세 나이에 왕위에 올라
사십 년간 나라를 통치하며
탁월한 지혜로
뛰어난 외교로
왕성한 상술로
부왕 다윗이 터 닦은 이스라엘을
더욱 크고 넓게
더욱 부유하고 화려하게 번창시켰네

이스라엘 역사상
최대의 판도와
최고의 영화를 자랑하는
그대의 사십 년 통치가 오늘까지 눈부시네

그러나 그대
하나님이 주신 지혜를 너무 헤프게 썼는가
부귀와 영화의 눈부심에 스스로 매몰되었나
여호와를 경외하는 것이 지혜의 근본이거늘
어찌하여 여호와를 버리고
이방 여인에 빠져
이방 우상을 좇는가
백성은 도탄에 빠지고 민심은 떠나니
나라가 둘로 갈라지게 되었네

인간이 아무리 탁월한 지혜를 가졌다 해도
여호와 경외함이 없으면
한낱 잔재주에 불과한 것을
오늘도 뼈저리게 교훈하네

52 불병거 타고 승천한 불의 선지자 엘리야

바알 종교를 불사른
위대한 불의 선지자

위대한 불의 선지자 북왕국 이스라엘의 최고 선지자인 엘리야는 길르앗 지역의 디셉 사람으로, 북왕국 이스라엘의 아합과 아하시야 치세 때 활동한 인물이다. 털옷을 입고 허리에는 가죽띠를 두른 채 하나님의 말씀을 선포한 엘리야는 당시 온 나라에 팽배한 바알 종교에 홀로 담대히 맞서 싸웠다. 아합 왕에게 우상 숭배에 대한 형벌로 온 땅에 수년 동안 우로(雨露)가 없을 것임을 예언했고, 바알 종교의 선지자 850인과 여호와와 바알 중 누가 참된 신인가를 놓고 갈멜 산 대결을 벌이기도 했다. 이 대결에 승리함으로써 엘리야는 바알 선지자들을 갈멜 산 기슭에 있는 기손 강에서 모두 처형시켰다. 불같이 능력 있는 엘리야 선지자의 사역은 거침이 없었다. 나봇의 포도원을 불법으로 빼앗은 아합 왕을 꾸짖고,

하나님을 멸시한 아하시야 왕의 죽음을 예언했다. 우로가 그친 3년 6개월 동안, 그릿 시냇가에서 까마귀를 통해 음식물을 공급받았으며, 이후 가뭄 동안 자신을 공궤한 시돈 땅 사르밧 과부의 죽은 아들을 살리기도 하는 등 엘리야 선지자에겐 놀라운 사건과 큰 이적이 뒤따랐다. 선지자 사역 말기에는, 하늘에서 내려온 불병거를 타고 회오리바람과 함께 살아서 하늘로 올라갔다! 진정 엘리야 선지자는 불 같은 능력을 지닌 선지자로, 하늘에서 불을 내려 갈멜 산 대결에서 승리하고, 마침내 불병거와 함께 승천한 위대한 '불의 선지자' 였다.

평범한 성정을 소유한 선지자 갈멜 산 대결에서 승리한 이후, 놀랍게도 우리는 전혀 다른 엘리야 선지자를 만난다. 갈멜 산의 참신 대결에서 크게 승리한 후에도 왕후 이세벨의 사기가 전혀 꺾이지 아니하고 오히려 엘리야 선지자를 죽이려 들자, 이세벨의 추격을 피해 도망하던 중 광야의 로뎀나무 아래에서 절망과 실의에 빠져 하나님께 죽기를 호소하는 엘리야를(왕상 19:4). 이 같은 엘리야의 나약한 면모는 그도 역시 우리처럼 평범한 성정(性情)을 소유한 사람일 뿐이라는 사실을 보여 준다.

기도한다면, 우리도 엘리야처럼 그렇다면 엘리야 선지자가 위대한 불의 선지자로 활약할 수 있었던 비결은 무엇인가? 그것은 '기도를 통해' 하나님의 능력을 덧입었기 때문이다. 저 기념비적인 갈멜 산 대결에서도 기도를 통해 3년 가뭄을 깨뜨리고 하늘에서 비가 쏟아지게 하지 않았던가(약 5:17-18)! 그러므로 우리도 기도한다면, 그래서 하나님의 능력을 덧입기만 한다면, 이 시대의 '엘리야' 로서 놀라운 능력의 신앙인이 될 수 있으리라! ✝

이스라엘의 병거여, 마병이여!

유대 광야에 세례 요한 있기 전,
일찍이 북왕국 이스라엘에 광야의 목소리 있었으니
불의 선지자 엘리야여라

아합과 이세벨의 바알 종교가
이스라엘 온 땅을 뒤덮고 있던 암흑의 날에
하나님의 말씀으로, 불 같은 이적으로
몽매한 백성을 일깨운 올곧은 예언자의 소리여

패역의 땅에 삼 년 반의 안개, 비 그침을 예언하고
그릿 시냇가에 은거하며
하나님이 베푸신 까마귀의 음식과 은혜의 강물 마시다가
시냇물 마르자, 시돈 땅 사르밧 과부의 공궤를 받았도다

오, 들리는가
지중해 내려다보이는 갈멜 산상에서
바알 선지자 팔백오십 인과 참신 대결을 벌여
하늘로써 불의 응답을 받고
바알 종교를 일거에 파괴시킨
엘리야 선지자의 쩌렁쩌렁한 그 포효 소리를!

그러나 불의 선지자 그대도
우리처럼 성정(性情)을 지닌 인간이었다네
이세벨의 서슬 퍼런 칼 앞에 간담이 녹아
실의에 빠져 로뎀나무 아래 죽은 듯 쓰러져 있었으니···

하지만 그대에게 능력 주시는 하나님의 손길 있어
다시 일어나 사십 주야 달려 성산(聖山) 호렙에 이르러
하나님을 만나 새로운 힘을 얻었도다

그대의 불 사역을 기뻐 받으신 하나님
하늘의 불병거를 보내어
회오리바람으로 그대를 취하여 가셨나니
에녹처럼, 죽음을 보지 않고 하늘로 올리웠도다
이제 불병거 타고 다시 내려와
이 시대의 바알과 힘겹게 싸우는
오늘의 우리를 도우소서
이스라엘의 병거여, 마병이여!

53 열조의 유업을 사수한 의로운 신앙인 나봇

열조의 유업을 위하여,
언약의 땅을 위하여

이스르엘 땅의 한 의로운 포도원 주인 이스라엘 북부에 있는 이스르엘 땅은 서쪽으로 지중해 연안을 낀 에스드렐론 평원의 비옥한 골짜기 지역이다. 그곳에 포도원을 가진 성실하고 의로운 사람이 살고 있었다. 그의 이름은 나봇. 그는 조상으로부터 물려받은 가문의 유산 포도원을 아끼면서 성실하게 운영하고 있었다. 올해도 작년처럼 풍성한 소출을 기대하면서 열심히 땀 흘리고 있었다.

왕이 나봇의 포도원을 탐내다 나봇의 포도원 인근에 왕의 별궁이 있었다. 그 왕의 이름은 아합. 아합 왕은 별궁 근처에 있는 그 포도원을 사서 나물 텃밭을 만들고 소일거리로 삼고 싶었다. 왕은 나봇에게 말한다. "더 좋은 포도원을 줄 수도 있고, 아니면 값을 쳐 줄 테니 네 포도원을 나에게 팔라." 왕은 당연히 나봇이 자신의 제의에 응해 줄 줄 알았다. 그런데 나봇의 답변은 의외였다. "내 열조의 유업을 왕에게 주기를 여호와께서 금하실지로다"(열왕기상 21:3).

포도원을 지키려다 목숨을 잃은 나봇 왕은 근심한다. 그 모습을 왕의 아내인 이세벨이 보고 비웃었다. "왕이 그까짓 일로 고민하다니." 하면서. 이세벨은 당장 껄렁패들을 고용하여 나봇에게 신성 모독의 누명을 씌운 후에 돌로 쳐 죽인다. 그리고 포도원을 빼앗아 아합 왕에게 준다. 물론 아합도 모든 사실을 알고 있었지만, 모른 척하고 포도원을 차지한다. "어리석은 놈, 제 무덤을 스스로 판 게지." 하면서….

정말 그럴까? 나봇은 '그까짓' 땅 몇 평 때문에 목숨을 잃은 것일까? 인본주의적인 헬레니즘 사상을 가진 자라면, 나봇을 가리켜 미련한 자라고 평가할 것이다. "그것 팔고, 더 좋은 것 사면 될 텐데."라고 말이다. 그러나 신본주의적인 헤브라이즘 사상에 기초하면, 나봇은 의로운 자이다. 그 포도원이 얼마짜리냐 하는 것은 그리 중요하지 않다. 나봇에게 있어 그 포도원은 절대로 '그까짓' 땅이 아니다. 그 땅 속에 담긴 의미는 목숨보다 가치 있었다. 그 땅은 하나님께 물려받은 기업으로서, 열조의 땀이 밴 땅이며, 이제 자신이 잘 간직하다가 후손에게 물려주어야 할 '언약의 땅'이었다. 그래서 모세 율법은 기업의 땅을 팔지 말라고 명했다. 나봇은 불의한 권세에 맞서 그 땅을 지키려다 목숨을 잃은 정녕 의로운 사람이다. 율법의 순교자이다.✝

열조의 유업을 팔지 않다

한 포도원이 있었네
그 주인은 이스르엘 사람 나봇

그는 조상으로부터 물려받은 포도원을 사랑했네
하나님께 받은 열조의 유업을 땀 흘려 가꾸었네

그러나
아합 왕은 나봇의 포도원을 탐하네
권세로 압박하고
돈으로 유혹하네
"그 포도원을 내게 팔라."

하지만 나봇의 포도원은
자신의 것이 아니라 열조의 것
아니, 열조의 것이 아니라 하나님의 것
들어 보라, 하나님의 저 율법의 소리를
"토지를 영영히 팔지 말라, 토지는 다 내 것임이라."

포도원을 파는 일은
나를 팔고
조상을 팔고
하나님을 파는 일

나봇은 왕의 제의를 거절하네
"내 열조의 유업을 왕에게 팔기를 하나님께서 금하실지로다."
왕을 거절한 대가로, 율법을 지킨 대가로
나봇은 목숨을 잃고 포도원을 빼앗기고 말았네

그러나 나봇은 포도원을 지켰네
나봇이 빼앗긴 것은 세상의 땅 몇 평뿐
나봇이 지킨 것은 영원한 하나님의 천국 기업

지금 그대여,
그대의 포도원은 어디에 있는가
목숨 걸고 지켜야 할 그대의 천국 기업은 어디에 있는가
권력의 압력을 받고, 돈의 유혹을 받더라도
절대로 팔지 마시오
나봇처럼

54 하나님을 경외한 아합의 궁내대신 오바댜

아합 왕궁의 궁내대신 아합 왕이 통치하던 주전 9세기 중엽의 북왕국 이스라엘. 아합 왕은 시돈의 왕이자 바알 종교의 제사장인 엣바알(Ethbaal)의 딸 이세벨과 결혼함으로써 이스라엘 땅에 바알 종교를 깊숙이 끌어들였다. 뿐만 아니라 열렬한 바알 숭배자인 이세벨의 유혹에 빠져 이스라엘 온 땅에 바알 종교를 적극적으로 장려하고 번성케 했다. 그래서 아합과 이세벨이 있는 이스라엘 왕궁은 바알 종교의 총본부가 되었다. 그런데 아이러니하게도 바로 그곳 아합 왕궁에 여호와를 크게 경외하는 한 인물이 활동하고 있었다. 그는 아합 왕궁에서 궁궐 안의 모든 일들을 관리하고 처리하는 아합 왕의 궁내대신(宮內大臣) '오바댜'였다.

여호와를 크게 경외한 신앙인 아합 왕을 통해 권력을 잡게 된 바알 숭배자 이세벨은 바알의 선지자들을 적극 후원하는 반면에, 여호와의 선지자들을 박해하여 가차없이 죽였다. 이런 대박해의 시기에, 아합 왕의 궁내대신 오바댜는 목숨의 위협을 무릅쓰고 여호와 선지자 100인을 50인씩 두 조로 나누어 동굴 속에 은거시킨 후에, 몰래 음식물을 공급하여 그들을 부양하고 있었다(왕상 18:4). 궁내대신 오바댜가 엘리야 선지자를 만난 때는 그 즈음이다. 온 나라가 극심한 3년 가뭄을 당하여 고통을 받고 있던 때에 아합 왕과 더불어 전국을 돌며 수원(水源)을 찾아 헤매던 때였다. 그때 길에서 우연히 엘리야 선지자를 만난 오바댜는 엘리야 선지자의 의도대로 그를 아합 왕 앞으로 인도함으로써, 결국 여호와의 선지자인 엘리야와 바알 선지자들 간의 역사적인 '갈멜 산 대결'이 이루어지도록 하는 결정적인 계기를 만들었다.

각자의 위치에서 하나님을 위해 바알 종교의 총본부인 아합과 이세벨의 왕궁에 여호와를 크게 경외하는 인물이 있었다는 사실은 언뜻 이해되지 않는다. 오바댜도 아합 왕궁을 떠나, 동굴로 숨어들든지 아니면 엘리야 선지자처럼 털옷에 가죽띠를 띠고 하나님의 메시지를 선포해야 되지 않았을까? 하지만 그렇지 않다! 오바댜는 아합 왕궁의 궁내대신 직책을 고수하면서 자신의 직책을 잘 선용하여 하나님의 일을 여러 모로 도왔다. 그리고 하나님은 그런 오바댜를 사용하여 여호와의 선지자들을 살리고 또한 갈멜 산 대결이 성사되도록 섭리하셨다. 그러므로 우리도 각자의 주어진 위치에서, 자신의 직책을 잘 선용함으로써 하나님의 사역에 동참할 줄 아는 '뱀 같은 지혜'를 배워야 한다. ✝

아합 궁에 숨겨진 빛나는 신앙의 보배

사람이 섬기는 왕이
둘 있으니
하나는 거짓 왕 '바알' 이요
하나는 참된 왕 '여호와' 라

거짓의 왕 바알을 섬기는
북왕국 이스라엘 아합 궁에
오직 참된 왕 여호와만을 섬기는
숨어서 빛나는 귀한 보배 있었으니
그는
아합 왕의 궁내대신 오바댜

열렬한 바알 숭배자 이세벨이
서슬 퍼런 칼날로 여호와의 선지자들을 박해할 때
세상 권력과 궁중 부귀에 연연치 않고
목숨 걸고 생명 바쳐
여호와의 선지자들을 보호했네
일백의 여호와 선지자를
오십씩 둘로 나눠
동굴에 숨겨 음식물을 공급해 주었다네

그뿐인가
큰 용기와 담대한 믿음으로
불의 선지자 엘리야를 만나
그를 아합 왕에게 인도하니
갈멜 산의 대결이 이루어졌도다

갈멜 산의 대결을 통해
엘리야의 능력을 통해
우상을 섬기는 바알의 선지자들을 모조리 격파하고
만군의 여호와만이 살아 계신 참된 신임을
이스라엘 온 땅에 널리 알렸으니
그대는 무대 뒤에 숨은
빛나는 조력자
아합 궁에 숨은
반짝이는 신앙의 보배
진정 하나님을 왕으로 모신
하나님 왕궁의 영원한 궁내대신이라

55 하나님을 고백한 이방의 군대 장관 나아만

수리아의 군대 장관 나아만 때는 주전 9세기 중엽, 북왕국 이스라엘은 여호람이 다스리고 있었고, 이스라엘 북쪽의 수리아는 벤하닷 2세가 통치하고 있었다. 이 시기는 수리아가 나라의 세력을 사방에 널리 떨치던 때로, 이렇게 된 데에는 수리아의 군대 장관 나아만의 공로가 절대적으로 컸다.

나아만은 이전에 자기 나라를 위기에서 건져낸 구국(救國)의 공신으로서, 왕의 두터운 신임을 한 몸에 받으며 수리아의 전 병권을 쥐고 있었다. 나아만은 부귀와 명예와 권세를 모두 누리고 있었다. 세상에 부러울 것이 없었다.

천형의 문둥병자 나아만 그러나 나아만은 언제부터인가 자신의 몸에서 이상 증세를 발견한다. 고대 세계에서 치료 불가능한 천형(天刑)의 병으로 알려진 문둥병 증세가 나타난 것이다. 그것은 모든 것을 잃는 것과도 같았다. 부귀와 명예와 권세를 잃는 것은 물론이고, 심지어 가족과 격리되어야 하는 고립과 죽음의 삶을 살아야 했기 때문이다.

절망의 시간들을 보내던 어느 날, 나아만에게 기쁜 소식이 전해온다. 자기 집에 있던 히브리 포로 소녀 하나가 사마리아 땅에 사는, 기적의 치유자 엘리사 선지자의 소식을 알려 준 것이다. 나아만은 마지막 희망을 갖고서 엘리사를 찾아 길을 떠난다. 대국 수리아의 군대 장관이라는 당당한 위세와 함께, 엄청난 예물을 싣고서….

영과 육의 문둥병을 치료받은 나아만 나아만은 엘리사가 자기 집에서 얼른 뛰어나와 모든 예의를 갖추면서 정성껏 치료해 줄 줄 알았다. 하지만 엘리사가 볼 때 나아만은 하나님의 존재를 알지 못하는 어린 철부지에 불과했다. 그래서 하마터면 나아만은 세상 교만과 허울 때문에 생애 최대의 기회를 잃을 뻔했다. 자신의 기대와는 달리, 엘리사의 사환이 나와 "요단 강에 가서 몸을 일곱 번 씻어라"라고 말했던 것이다. 나아만은 벌컥 화를 내면서 자신의 나라로 돌아가려 했다.

하지만 나아만에게도 장점이 있었다. 그것은 아랫사람의 말에 귀를 기울일 줄 안다는 점이다. 자기 집의 포로인 계집종의 말을 귀담아들었듯이, 이번에도 신하의 말을 듣고 엘리사의 말대로 순종했다. 그 결과 나아만은 문둥병을 치료받았다. 그것은 바로 '이스라엘 하나님'에 대한 놀라운 발견과 깨달음이었다. "내가 이제 이스라엘 외에는 온 천하에 신이 없는 줄 알았도다." 이리하여 나아만은 육신의 문둥병과 함께, 마음의 문둥병도 함께 치료받았다. ✝

요단 강에 일곱 번 몸을 씻으라

이스라엘 땅 저 너머 이방의 수리아에
천형의 질병으로 고통스러워하는 한 사람이 있었다
그는 수리아의 군대 장관, 구국의 공신 나아만

부귀와 권세로 화려하게 치장했지만
그는 문둥병에 의해 나날이 살이 문드러지고 있었다
슬픈 나아만이여
그대는 그렇게 천형의 고통에 짓눌려
평생을 살아가야 하는가

들어라, 나아만이여
헛된 거드름일랑 집어치우고
네 집에 포로 된 작은 히브리 계집아이의 소리에 귀 기울여라
"사마리아에 계신 그 선지자가 주인의 문둥병을 고치리이다."

가라, 나아만이여
군대 장관이라는 세상 위엄일랑 멀리 던져 버리고
사마리아 땅에 살고 있는 엘리사 선지자에게로 속히 달려가라

씻어라, 나아만이여
권세의 관과 교만의 옷일랑 훌훌 벗어 던지고
엘리사 선지자의 말을 따라
요단 강에 몸을 씻어라
일곱 번 몸을 씻어라

보라, 나아만이여
그대의 문드러진 살들이
어린아이의 젖살처럼 깨끗해진 모습을,
그대의 순종이 천형의 고통을 제거했음이라

고백하라, 나아만이여
너의 세상 것 모두 벗어 던지고
무릎 꿇고 겸손히 하나님 앞에 고백하라
"이스라엘 외에는 온 천하에 다른 신이 없는 줄을 아나이다."

이제 이스라엘 너머
네 땅 네 집으로 돌아가
높은 첨탑의 새벽 종소리처럼 길고 멀리 울려 퍼뜨려라
"이스라엘 외에는 온 천하에 다른 신이 없다."라고

part 7 ● 율법대로 율법을 좇아

56 기적의 능력으로 조국을 지킨 선지자 엘리사

이스라엘의
병거와 마병이여!

평범한 농부 대략 주전 9세기 후반경, 북왕국 이스라엘에서는 여호람이 통치하고 있었다. 이 시기에 엘리사는 요단 계곡의 아벨므홀라 지방에서 잇사갈 지파 사밧의 아들로 출생했다. 비교적 부유한 농부인 아버지의 뒤를 이어, 엘리사도 소를 몰아 밭을 가는 평범한 농부가 되어 농사짓는 일을 업으로 삼고 있었다. 다른 때와 마찬가지로 그날도 엘리사는 열두 겨리 소를 몰고 열심히 밭을 갈고 있었다. 그때 북왕국 이스라엘에서 '불의 선지자'로 그 명성이 자자했던 엘리야 선지자로부터 제자로 부름받았다. 선지자의 소명은 이렇게 어느 날 갑자기 평범한 농부인 엘리사에게 찾아왔다.

위대한 기적의 선지자 엘리야로부터 제자로 부름받은 엘리사는 집으로 돌아가 송별 잔치를 베푼 후에 곧장 스승 엘리야를 따랐다. 그리고 엘리야의 수제자가 됐고, 후일에 승천하는 스승 엘리야로부터 갑절의 영감을 받았다. 엘리사는 엘리야의 후계자로서 북왕국 이스라엘의 능력 있는 선지자로 활동했다. 스승으로부터 갑절의 영감을 받은 이후, 엘리사 선지자의 행보는 숱한 기적의 연속이었다. 요단 강물을 가르고, 수넴 여인의 죽은 아들을 살리고, 아람의 군대 장관 나아만의 문둥병을 고치고, 요단 강물에 빠진 도끼를 물 위로 떠오르게 하고, 아람 왕이 침소에서 하는 말까지도 모두 알아내서 국가를 외세의 침략으로부터 든든히 지켜 주는 등 다른 선지자들에 비해 수많은 이적을 행함으로써 하나님의 능력을 생생하게 드러냈다. 심지어 죽은 이후에도 엘리사의 뼈에 닿은 시체가 소생하는 놀라운 이적이 나타나기도 했다. 여호와의 이름으로 행사된 엘리사 선지자의 이 같은 숱한 이적들은 당시가 여호와의 종교와 바알의 종교가 사투를 벌이고 있던 것을 생각하면 이스라엘 백성들의 눈과 마음을 살아 계신 여호와께로 돌리게 하는 중대한 역할을 수행했다.

성령의 능력을 받으면, 우리도 엘리사처럼 엘리사가 놀라운 기적을 베풀게 된 것은 갑절의 영감을 받은 이후였다. 다시 말해 성령의 능력이 임한 이후부터였다. 이것은 초대 교회 당시에 예수의 제자들이 오순절 성령 체험 이후부터 기적을 행사한 것과 마찬가지 원리였다. 평범한 농부 엘리사를 위대한 기적의 선지자로 변화시킨 것은 성령의 능력이었다. 성령님은 오늘도 믿는 자들에게 여러 모양으로 역사하신다. 그러므로 우리도 성령의 능력을 받으면, 엘리사처럼 하나님의 위대한 일을 능히 일구어 낼 수 있다. ✝

기적으로 밭 갈아 말씀의 씨앗 뿌린 하나님의 농부

요단 강 기슭 작은 마을에
열두 겨리 소를 몰며
아버지의 아버지처럼
밭 갈고 씨 뿌리며
농부의 삶을 살아간 엘리사

어느 날
소 몰며 밭 갈던 엘리사에게
불의 선지자 엘리야가 다가와
겉옷을 던지며
그를 제자로 불렀네

그날부터
스승 엘리야를 온전히 따른 엘리사는
불병거 타고 승천하는 스승으로부터
갑절의 영감을 받고
엘리야의 후계자 되어
놀라운 능력의 사역 펼쳤네

엘리사는 기적의 선지자,
요단 강의 물살을 둘로 가르고
수넴 여인의 죽은 아들을 살리고
아람의 군대 장관 나아만의 문둥병을 고치고
영력(靈力)으로 아람의 침략을 미리 알아
조국 이스라엘을 외세로부터 든든히 지켰네
죽어서도
죽은 사람을 소생시키니
과연 그의 기적은 끝이 없어라

그대여
일상의 사소한 일들로 매일 찌들어 가는
이 시대 나약한 우리들에게
살아 계신 하나님의 능력을 다시금 펼쳐 보이소서
성령의 단비 없어
나날이 삭막해져 가는
우리들 굳은 마음 밭에
갑절의 능력으로 밭 갈아 말씀의 씨앗을 뿌려 주소서
열두 겨리 이적의 소를 몰고
오늘 우리에게 찾아오소서

57 여호와의 날을 선포한 선지자 요엘

메뚜기 떼의 재앙을 통해 회개를 외치고 열두 소선지자 중 한 명인 브두엘의 아들 요엘은 유다 왕 요아스의 통치 초기에 남왕국의 수도 예루살렘을 중심으로 하여 활동한 선지자이다(주전 9세기경). 그 당시 북왕국에서는 예후 왕의 통치 아래에서 엘리사 선지자가 활동하고 있었다. 신약 시대에 유대 광야에서 회개를 외친 세례 요한처럼, 요엘 선지자도 그 시대의 불의와 전혀 타협하지 않았다. 그는 여호와의 공의에 입각하여 불타는 정의감으로 유다 백성들을 향해 회개를 외친 강직한 인물이었다. 때마침 유다 땅에는 메뚜기 떼로 인한 무서운 재앙이 임했는데, 요엘 선지자는 바로 이것을 생생한 예증으로 삼아 범죄한 백성들에게 '여호와의 심판의 날'을 선포하면서 회개를 외쳤다. — "너희는 옷을 찢지 말고 마음을 찢고 너희 하나님 여호와께로 돌아올지어다"(욜 2:13).

성령 충만을 통한 구원을 선포하다 오순절 성령 강림의 날에, 성령 충만함을 입은 베드로가 절기를 맞아 예루살렘에 모여든 수많은 군중들 앞에서 설교를 했다. 그때 그는 요엘 선지자의 예언을 인용했다(행 2:16-21). ― "그후에 내가 내 신을 만민에게 부어 주리니 … 누구든지 여호와의 이름을 부르는 자는 구원을 얻으리라"(욜 2:28-32).

이처럼 요엘 선지자는 죄악에 대한 여호와의 심판의 날을 외치면서도, 한편으로는 자신의 죄악을 회개하고 여호와를 찾는 자들에게 하나님의 신(神), 곧 성령으로 말미암아 풍성한 구원의 은총이 임할 것임을 선포했다. 요컨대 성령 충만을 통한 회개와 구원이라는 베드로의 오순절 설교가 선포되기 9세기 이전에, 이미 '성령 충만을 통한 구원'이라는 주제로 요엘 선지자의 설교가 예루살렘에서 울려 퍼졌던 것이다.

회개의 울음을 통해 구원의 은총으로! 요엘 선지자가 힘써 외친 설교 주제는 '여호와의 날'이었다. 그날은 이중(二重)의 의미를 지닌 날로서, 장차 임할 그날은 회개치 않는 불신자들에게는 무서운 심판의 날이고, 울며 회개하는 신실한 백성들에게는 풍성한 구원이 임하는 날이다. 이런 사실에 근거하여, 요엘 선지자는 범죄한 백성들을 향해서는 여호와의 날이 임하기 전에 마음을 찢고 회개함으로써 하나님께로 속히 돌이킬 것을 촉구하였고, 신실한 주의 백성들을 향해서는 여호와의 날이 임하기까지 믿음 위에 굳게 서서 흔들림 없는 신앙으로 삶을 살아갈 것을 권고했다. 이 같은 요엘의 외침은 오늘날 타락과 부패의 시대를 살아가고 있는 이 시대 우리를 향한 외침이다.✝

마음을 찢고 돌아오라

보라
메뚜기 떼가 하늘을 새까맣게 덮어 온다
땀 흘려 가꾼
유다 온 땅의 곡식들이
말갛게 껍질이 벗겨진다
하얗게 갉아 없어진다

생각하라
죄인들아
이것은 하나님의 재앙이다
패역한 백성들에 대한 하나님의 진노이다

회개하라
옷을 찢지 말고, 마음을 찢어라
굵은 베로 온몸을 동이고
잿더미 위에 앉아
슬피 울며 죄를 통곡하라

선포하라
광야의 요엘이여
저 타락하고 부패한 백성들에게
여호와의 날을 선포하라

오라
여호와의 날이여
어둡고 패역한 역사의 벌판을 달려
저 메뚜기 떼처럼
타락한 시대를 말갛게 벗겨라
부패한 심령을 하얗게 갉아라

임하소서
하나님의 신(神)이시여
이 메마르고 거친 심령들 위에
믿음과 구원의 비 흠뻑 뿌려
성령 충만한 입술로
여호와의 이름을 부르고 또 불러
오늘 우리로 구원을 얻게 하소서

58 니느웨 성에 회개를 외친 선지자 요나

다시스가 아니라,
결국 니느웨로!

다시스로 달아나다 요나는 주전 8세기 중엽인 북왕국 이스라엘의 왕 여로보암 2세 때에 활동하던 선지자였다. 그가 하나님께 받은 사명은 니느웨로 가서 회개의 메시지를 외치라는 것이었다. 그런데 요나는 이 사명이 매우 못마땅했다. 니느웨는 이스라엘 북쪽에 위치한 강력한 앗수르 제국의 수도로서, 이스라엘에게는 아주 위협적인 존재였기 때문이었다. 그래서 요나는 옛날 소돔과 고모라 성읍처럼 그 도시 역시 스스로의 죄악 가운데서 하나님의 심판을 받아 멸망하기를 원했다. 그들이 회개하고 돌이키는 것을 원치 않았다. 이런 편협한 민족주의에 빠진 요나는 하나님의 사명을 거부하고, 니느웨가 아니라 그 반대쪽인 다시스로 달아났다. 달아나면 자신의 뜻대로 될 줄 알았다.

결국 니느웨로 향하다 그것은 요나의 착각이고 오산이었다. 온 우주에 충만하신 하나님은 요나가 어디로 달아나든, 어느 곳에 숨어 있든, 그곳에 이미 계셨다. 그래서 바다에 큰 풍랑을 던지셨고 요나는 풍랑을 몰고 온 장본인으로 제비 뽑혀 바다에 던져졌다. 그러나 하나님이 이미 예비해 놓으신 큰 물고기가 집어삼켜 목숨을 건졌다. 물고기 배 속에서 요나는 회개했고, 하나님은 요나를 구출하셔서 두 번째로 니느웨 선교 사명을 주셨다. 이리하여 요나는 결국 니느웨로 가서 하나님의 메시지를 외쳤다. 그때까지도 이방을 향한 하나님의 원대한 구원 계획을 깨닫지 못한 요나는 니느웨 백성들이 하나님의 말씀을 듣고서도 회개하지 않기를 바랐다. 그러나 결과는 요나의 기대와는 정반대로 나타났다. 니느웨 온 성읍은 철저히 회개했고, 그 결과 그들은 하나님의 심판을 면할 수 있었다. 이 같은 상황에 대해 요나는 심히 싫어했고, 크게 화가 났다.

박넝쿨이 아니라, 사람의 영혼에 관심을! 하나님은 그런 요나에게 '박넝쿨의 교훈' 을 주셨다. 뜨거운 햇볕을 가려 주던 박넝쿨이 시들자 그로 인해 크게 화를 내는 요나에게 하나님은 니느웨 성읍에 살고 있는 12만 명의 영혼이 박넝쿨보다 얼마나 더 가치 있는 존재인지를 일깨워 주셨다. 그렇다면 오늘날 우리들은 어떠한가? 온 세상을 향한 하나님의 크고 원대하신 구원을 오직 자신만의 것인 양 편협한 독선에 빠져 있지는 않는가? 12만 명의 영혼처럼 진정 가치 있는 것을 가치 있게 보지 못하고, 한낱 박넝쿨 같은 하찮은 것을 더 가치 있게 여기며 살고 있지는 않는가? 그래서 요나의 교훈은 편협한 독선과 가치 혼돈의 시대를 살아가고 있는 우리들에게 아주 소중한 깨달음을 주고 있다. ✝

니느웨를 사랑하라

그 옛날 소돔과 고모라처럼
저 니느웨도 죄악 중에 슬피 죽어야만 하는가

하나님의 자비가
이방의 도성 니느웨에 임했네
하나님의 긍휼이
죄악의 도성 니느웨에 임했네

하나님의 말씀 듣지 못하여
죄악의 늪에서 허우적대던 그 도성에
자비와 긍휼의 하나님은
회개의 메시지를 들려주길 원하셨다

너, 아밋대의 아들 요나여
이제 일어나 니느웨로 가라
가서, 하나님의 메시지를 외쳐라
회개의 메시지를 소리 높이 외쳐라

아, 그러나 이방 땅 니느웨가 싫어
원수의 도성 니느웨가 미워
하나님의 얼굴을 피해 다시스로 달아나는 요나여
사명을 저버린 가련한 사명자여

어딘들 하나님 앞이 아닐까
바다에서 큰 풍랑 만나
큰 물고기 배 속으로 들어갔구나
큰 물고기 배 속에서 삼일 삼야를 회개하였구나

다시금 사명받은 요나여
이제는 니느웨로 가서 하나님의 말씀을 힘껏 외쳐라
박넝쿨의 교훈을 가슴 깊이 새기고
니느웨의 회개를 기뻐하고 기뻐하라

하나님의 사랑은 넓고도 깊나니
요나여, 그 사랑 깨닫고
저 슬픈 니느웨를 사랑하고 사랑하라
그대의 품에 힘껏 껴안으라

59 하나님의 공의를 외친 선지자 아모스

목자요 뽕나무를 배양하는 자 아모스는 남왕국 유다 출신으로 본래 고향 땅 드고아에서 가축도 치고 뽕나무도 배양하던 목자요, 농부였다. 따라서 아모스는 정식으로 선지자 교육을 받지 못한, 말하자면 평신도 출신의 선지자였다. 하지만 그가 쓴 책에서 보여지듯, 아모스는 예리한 영적 통찰력과 깊은 역사 의식을 갖춘 인물로서, 그저 평범한 목부(牧夫)가 아니라 상당한 수준의 식견을 갖춘 야인(野人)으로 추정된다. 아모스는 고향 드고아에서 양을 치던 도중 하나님의 부르심을 받고, 당시 우상 숭배의 본거지인 북왕국 이스라엘 땅의 벧엘로 올라가서 선지자로서 예언 활동을 펼쳤다.

하나님의 공의와 믿는 자의 윤리적인 삶을 외친 인물 아모스가 예언 활동을 하던 때는 북왕국 이스라엘 왕 여로보암 2

세가 통치하던 시기로(주전 8세기경), 이때는 정치적인 안정과 경제적인 번영을 구가하고 있었다. 하지만 그것은 외형적인 모습일 뿐, 그것과 반비례하여 종교는 타락했고 사회는 부패했다. 성전 예배는 형식과 위선으로 행해졌고, 빈부의 격차가 격심한 상황에서 부자들은 가난한 자들을 압박하고 강자는 약자를 학대했다. 이런 상황에서 아모스는 하나님의 공의를 부르짖었고, 참된 예배 정신을 일깨워 주었으며, 사회 정의의 실천을 강조했다. 이처럼 아모스는 가장 열정적으로 공동체적인 관점에서 사회 구조의 모순을 지적하고 사회 정의의 실천을 부르짖었다. 이런 의미에서 아모스는 믿는 자들의 사회 윤리적인 신앙의 삶을 최초로 언급한 선지자였다. 이 같은 예언 활동 때문에, 아모스는 벧엘의 우상 숭배자인 아마샤 제사장에 의해 왕을 모반하는 자로 모함을 받아 추방의 위협도 받았다. 하지만 전혀 굴하지 않고 불타는 신념으로 죄악을 신랄하게 지적하고 하나님의 공의를 담대하게 선포했다.

번영과 풍요의 시대에 도사린 타락과 부패 아모스의 시대가 그러했듯, 역사를 통해 외형적인 번영과 풍요는 사람들로 하여금 안일과 사치에 빠지도록 하여 더욱 부패와 타락의 길로 접어들게 만든다. 그리하여 종교는 위선에 빠지고 도덕은 타락하며 사회는 부패하여 도처에 불법과 부정부패가 횡행하게 된다. 번영과 풍요의 시대에는 언제나 타락과 부패가 그 속에 똬리를 틀고 있는 것이다. 그러므로 번영과 풍요의 시대를 살아가는 오늘날 우리들은 누구보다도 아모스 선지자의 메시지에 귀를 기울여야 한다. 그래서 그런 시대 속에서 우리는 '공법을 물같이, 정의를 하수같이' 흘러내리도록 힘써야 한다. ✝

오직 공법을 하수같이 흘릴지라

겉으로 겉으로는
태평과 번영을 노래하던
북왕국 이스라엘의 여로보암 2세 통치기

그러나 속으로 속으로는
부패와 타락이
독버섯처럼 온 땅에 퍼져 있었다

누가 가서
저들에게 하나님의 공법을 외칠꼬
누가 입을 열어
저 백성에게 하나님의 정의를 부르짖을꼬

남왕국 유다 땅 드고아에
양 치며 뽕나무 재배하던
올곧은 야인(野人) 있었다
그는 아모스
어두운 시대의 횃불이라

이제 아모스여, 일어나라
일어나, 패역한 북왕국 이스라엘로 올라가라
우상의 성읍 벧엘로 올라가라
말씀의 횃불 높이 들어
어두운 시대를 환히 밝혀라

들어라
사치와 무사 안일에 빠진 자들아
교만과 부정부패에 찌든 백성아
암흑을 뚫고 들려오는
아모스의 저 외침을 귀담아들을지라

"오직 공법을 물같이
정의를 하수같이 흘릴지라."

아모스의 고고한 저 외침
암흑의 긴 역사를 뚫고 뚫어
오늘 우리의 귀에도 우렁차게 들려온다

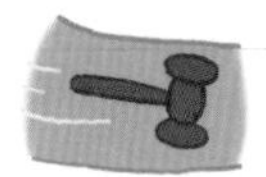

60 하나님의 사랑을 보여 준 선지자 호세아

고멜과 결혼하고,
고멜을 용서하고

그는 누구인가 호세아는 '브에리'의 아들로서 잇사갈의 21대 후손인데, 구약의 여러 선지자들 중 특이하게도 북왕국 이스라엘의 본토 출신이다. 호세아는 북왕국 이스라엘의 왕 여로보암 2세 때에 선지자의 소명을 받아, 이후 북왕국 이스라엘의 마지막 여섯 왕을 거치면서 예언 활동을 펼친 인물이다. 북왕국 이스라엘이 앗수르에 의해 멸망하기까지 대략 40여 년 동안 활동한 것이다. 호세아가 북왕국 이스라엘에서 활동하던 당시에, 남왕국 유다에서는 이사야 선지자와 미가 선지자가 활동하고 있었다.

가정의 비극을 통해 하나님의 뜻을 전달하다 호세아 선지자의 예언 활동은 특이하게도 그 자신의 가정사(家庭事)와 직접적으로 관련되어 있다. 호세아 선지자는 하나님의 뜻에 순종하여 음란한 여인인 고멜을 아내로 취했다. 결혼 후 고멜과의 사이에서 2남 1녀를 두었지만, 아내 고멜은 가정을 버리고 정부(情夫)와 놀아났다. 이런 상황에서 하나님은 호세아 선지자에게 부도덕한 아내 고멜을 기꺼이 용서하고, 그녀를 찾아가서 다시 아내로 받아들이라고 명하셨고, 호세아 선지자는 하나님의 명령대로 순종했다. 그렇다면 하나님은 왜 호세아 선지자에게 음란한 여인을 아내로 취할 것과 또한 가정을 버리고 간음을 저지른 아내를 용서하고 다시 받아들일 것을 명하셨을까? 그것은 음란한 고멜처럼 하나님을 떠나 타락한 이스라엘 백성들을 향한 하나님의 사랑의 메시지였다. 다시 말해 호세아와 고멜의 결혼 및 가정사를 통해 이스라엘에 대한 하나님의 아가페적인 사랑을 일깨워 주기 위함이었다. 호세아 선지자는 이 같은 하나님의 뜻을 이스라엘 백성들에게 생생하게 전달하기 위해 자기 가정의 아픔을 기꺼이 감수한 것이다.

이 시대의 '고멜'은 누구인가 그렇다면 결혼 이전에도 음란한 여인으로 살았고, 심지어 결혼 이후에도 자녀와 가정을 버리고 외간 남자와 놀아난 고멜은 과연 누구인가? 일차적으로 그녀는 주전 8세기경에 북왕국 이스라엘에서 살았던 호세아의 아내 된 여인이고, 이차적으로는 그 당시에 하나님을 떠나 이방 우상을 숭배한 이스라엘 백성들이다. 하지만 궁극적으로 '고멜'은 오늘날 하나님의 크신 사랑과 은총을 입고서도 오히려 하나님을 떠나 이 세상과 놀아나고 있는 바로 우리들이다. 그런 우리들을 향해 하나님은 오늘도 기꺼이 찾아오셔서 사랑과 용서의 손길을 내미신다. 그러므로 이제 진정한 회개의 울음을 울면서, 그 손을 잡고 하나님의 품으로 돌아가자! ✝

음란한 아내를 취하여 음란한 자식을 낳다

경건한 하나님의 선지자 호세아
음란한 세상의 딸 고멜
이토록 어울리지 않는 부부가 세상에 또 있을까

호세아는
하나님의 명을 좇아
음란한 여인 고멜을 아내로 맞았다
고멜을 통해
음란한 자식들을 낳았다

고멜이여
또다시 간음을 저질렀구나
남편을 배반하고
자식을 저버리고
타인과 연애함으로 가정을 떠났구나

사랑의 하나님이
호세아에게 다시 명하셨다
"너는 또 가서
음부 된 그 여인을 사랑하라."

그리하여, 슬픈 호세아
울고 울면서 고멜을 다시 사랑했네
고멜을 다시 아내 삼았네

보는가, 이스라엘이여
음란한 고멜을 향한 호세아의 사랑을
정녕 그것은
패역한 이스라엘을 향한 하나님의 사랑이려니

아는가, 오늘 그대여
사랑의 하나님을 떠나
세상을 사랑하는 그대가 바로 고멜인 것을

그러므로 그대 고멜이여
목놓아 울어라
하나님의 사랑 앞에 회개의 울음을 목놓아 울어라

61 하나님께 매달린 기도의 왕 히스기야

눈물로 기도하고,
믿음으로 개혁하고

기도의 인물 부왕 아하스를 이어 25세의 나이로 남왕국 유다의 제13대 왕으로 즉위한 히스기야는 무엇보다 기도의 인물이다. 당시 활동하던 이사야 선지자의 감화를 받아 히스기야는 난관에 부딪힐 때마다 기도로써 문제를 해결했다. 성경은 대표적인 두 경우를 소개해 준다. 한 번은 유다의 수도 예루살렘이 앗수르 왕 산헤립이 이끄는 강력한 군대에 포위당했을 때이다. 그때 히스기야는 이사야 선지자와 상의한 후에 굵은 베옷을 입고 성전으로 올라가 앗수르 왕의 사자가 보낸 항복 촉구의 편지를 여호와 앞에 펴놓고 힘써 기도했다. 그 결과, 앗수르 군대는 밤 사이에 여호와의 천사에 의해 궤멸당하고 말았다. 또 한 번은 히스기야가 죽을병에 걸렸을 때이다. 이때 이사야도 왕이 낫지 못할 것이라고 말했으나, 히스기야는 낯을 벽으로 향하고 하나님께 매달려 기도했다. 그 결과 하나님을 감동시켜 무려 15년의 생명을 더 연장받을 수 있었다. 이처럼 히스기야는 기도로써 문제를 해결한, 기도의 인물이었다.

개혁의 인물 히스기야는 즉위하자마자 개혁을 단행했다. 우상 숭배자들과 부정 부패자들의 온갖 반대와 방해에도 불구하고 결단성 있게 신앙의 개혁을 추진했다. 전국적으로 우상 숭배를 금지시키고, 유월절을 회복시켜 절기를 지켰다. 우상의 제단과 산당을 파괴했고, 우상 숭배자들을 척결했으며, 심지어 모세의 놋뱀조차도 당시 우상 숭배의 대상이 되어 있었기 때문에 제거했다. 종교 개혁에 철저했을 뿐만 아니라, 히스기야는 또한 통치자로서 탁월한 지도력을 발휘했다. 외세의 침공에 대비하여 예루살렘의 수비를 견고히 하고, 전쟁 때에 물을 확보하기 위해 성내에 저수지를 만들고 터널을 건설하여 성 밖의 물을 예루살렘 성 안으로 끌어들였다.

기도하고 개혁하라 유다 왕이 되었을 때, 히스기야가 처한 국내외 현실은 아주 험난했다. 나라 바깥에서는 강력한 앗수르 군대가 수시로 유다를 침공해 왔고, 나라 안에서는 우상 숭배가 만연하는 가운데 사회적인 부정부패와 도덕적인 타락이 만연되어 있었다. 히스기야가 이 같은 모든 어려운 상황을 돌파하고, 국가적인 번영과 사회적인 안정을 누릴 수 있었던 것은 흔들림 없는 '여호와 신앙'에 매달려 기도하고 철저히 개혁했기 때문이다. 안팎으로 어려움에 처해 있는가? 히스기야의 본을 따라, 매달려 기도하고 철저히 개혁한다면, 번영과 안정의 삶을 누릴 수 있게 될 것이다. ✝

네 기도를 들었고, 네 눈물을 보았노라

정녕 여호와의 유일하심을
온 나라에 알게 한 종교 개혁의 왕
정녕 여호와의 전능하심을
온 세상으로 알게 한 기도의 왕
그는 유다의 13대 왕 히스기야

하나님의 백성이
우상 숭배로 나날이 죽어 가고 있을 때
히스기야는
종교 개혁의 횃불을 높이 들었다

산당을 제거하고
주상을 깨뜨리며
목상을 찍었도다
온 나라에 오직
여호와 하나님만 우뚝 세웠어라

앗수르 왕 산헤립이
예루살렘을 포위하고 위협할 때
히스기야는
옷을 찢고 여호와의 전에 들어가 울며 엎드렸어라

앗수르를 격파하고
산헤립을 물리치며
랍사게를 쫓아냈다
온 세상에 여호와의 전능하심을 널리 선포했다

히스기야는 불치의 병에 걸렸건만
좌절하지 않고 낯을 벽으로 향하였네
통절의 기도로 하나님의 마음을 감동시켰네
열다섯 해의 생명을 더 연장받고
그 징표로 일영표의 해 그림자를 십 도 물러가게 하였다네

기도의 왕이여
기도 없는 이 시대의 우리를 깨우쳐 주소서
불가능을 깨뜨리는 기도의 능력을 깨닫게 하소서

62 메시야 복음의 선지자 이사야

내가 여기 있나이다, 나를 보내소서

깊은 소명을 체험한 선지자 성경을 보면, 극적인 소명 장면이 소개된 부분이 있다. 호렙 산의 불타는 떨기나무 가운데서 모세를 부르시는 장면, 다메섹 도상의 환한 빛 가운데서 바울을 부르시는 장면 등이 그렇다. 이사야도 극적인 하나님의 소명을 체험했다. 이사야는 예루살렘 성전에서 연기가 충만한 가운데 하늘 보좌에 앉으신 거룩하신 분을 뵈옵고 천사가 제단에 핀 숯불로 입술을 정결하게 해주는 체험을 했다. 그때 이사야는 "누가 우리를 위해 갈꼬." 하는 주의 소명에 응해 "내가 여기 있나이다, 나를 보내소서." 하고 기꺼이 응답했다. 이런 깊은 소명의 체험이 있었기에, 웃시야 왕 말년부터 요담, 아하스, 히스기야 왕을 거쳐 므낫세 왕의 초기까지 무려 60년 동안 유다의 다섯 왕을 섬기며 충실하게 선지자 사역을 감당할 수 있었다.

죄악을 경고하고 회개를 촉구한 선지자 20세의 젊은 나이에 선지자 소명을 받은 이사야는 그의 활동 전반기 시절에는 주로 '하나님의 심판'을 주제로 삼아, 예루살렘을 무대로 백성들의 죄악을 경고하고 그들의 회개를 촉구하는 메시지를 선포했다(사 1-39장). 당시에 악화되어 가고 있던 유다의 정치, 사회, 종교의 부패상과 죄악상을 예리하게 고발하면서, 하나님의 말씀으로 유다 백성들과 지도자들을 책망하고 권고했다. 진정 동족의 회개를 바라는 애타는 심정으로, 한때는 3년 동안 벗은 몸과 벗은 발로 다니면서까지 하나님의 말씀을 담대하게 외친 참된 선지자요, 애국자였다.

남은 자 사상과 메시야 대망을 선포한 선지자 활동 후반기 시절에 이사야는 주로 '하나님의 구원'을 주제로 삼아, 남은 자 곧 하나님의 언약을 믿는 신실한 자들에 대한 회복의 메시지를 선포했다. 하나님의 구원을 성취할 미래의 메시야를 대망하는 소망과 위로의 메시지를 선포한 것이다(사 40-66장). 이런 점에서 이 시기에 이사야가 외친 메시지는 '이사야 복음'으로 불릴 만큼 '메시야 예언'이 많이 나타난다. 특히 "그는 실로 우리의 질고를 지고 우리의 슬픔을 당하였거늘…" 등의 표현이 나타나는 '여호와 종의 노래'는 유명하다(사 42:1-9; 49:1-7; 50:4-11; 52:13-53:12). 참으로 이사야는 하나님에 대한 깊은 경외심, 선민을 향한 풍부한 긍휼, 선지자 소명에 대한 굳센 의지를 소유한 인물이다. 그처럼 구속사의 높은 봉우리에 올라서서 풍부하고 예리한 안목으로 멀리 미래사를 조망한 예언자는 두 번 다시 나타나지 않았다. ✝

고고히 「여호와 종의 노래」를 부르다

"누가 우리를 위하여 갈꼬."
하나님은 애타게 사명자를 찾으셨네
"내가 여기 있나이다, 나를 보내소서."
이사야가 기꺼이 소명에 응답하였네

"너는 외쳐라,
내 백성의 죄악을 꾸짖어라."
하나님의 소명 받든 이사야
사자 같은 당당한 기세로
타락한 백성을 향해 죄악을 꾸짖었다
부패한 민족을 향해 회개를 부르짖었도다

"너는 위로하라,
내 백성을 위로하라."
하나님의 소명을 받든 이사야
어머니 같은 따뜻한 손길로
회개하는 백성을 향해 하나님의 구원을 선포했네
신실한 자를 향해 메시야의 소망을 심어 주었네

이사야여
동족의 죄악을 진정 가슴아파한 선지자여
벗은 몸으로, 벗은 발로
동족의 회개를 울며 외친 애국자여

오, 이사야여
회개하는 백성을 진정 기뻐한 선지자여
어머니의 가슴으로, 아버지의 심장으로
하나님의 구원을 웃으며 선포한 애국자여

그대처럼
구속사의 저 높은 봉우리에 올라간 자 누구 있으랴
그대처럼
미래사의 저 멀리 메시야를 바라본 자 누구 있으랴

저 높은 복음의 봉우리 위에서
고고히 부른 '여호와 종의 노래' 는
오늘까지 우리들 가슴에 복음의 종소리로
은은하게 들려온다

63 율법을 온전히 준행한 종교 개혁의 왕 요시야

율법서를 접하고, 종교 개혁을 단행하고

율법서를 접하다 부왕(父王) 아몬이 살해당하자, 요시야는 여덟 살의 어린 나이로 제16대 유다 왕위에 오른다. 이후 요시야는 31년 동안 유다를 통치했는데, 대제사장 힐기야의 조언을 받아 일찍부터 하나님의 뜻을 좇아 실천하여 선정(善政)을 펼쳤다. 그래서 즉위 12년에는 모든 이방 우상을 파괴하고, 이교적인 예배를 금지했다. 그러던 중 요시야는 즉위 18년에 획기적인 사건을 맞게 되었다. 예루살렘 성전을 수리하던 중에 모세의 율법서가 발견된 사건이었다. 대제사장 힐기야가 발견하여, 서기관 사반에게 전하고, 사반이 요시야 왕 앞에서 그것을 낭독했다. 요시야를 크게 감동시킨 말씀은 신명기 28-30장 부분, 그 중에서도 29:25-28 부분이었다. 바로 그 속에 모든 문제에 대한 해답이 들어 있었다. 북왕국 이스라엘이 멸망하고, 남왕국 유다가 몰락의 길을 걷게 된 것은 하나님을 떠나 이방 우상을 숭배했기 때문인 것을 알게 된 것이다. 율법서를 듣고 난 요시야는 옷을 찢고 눈물로 회개하면서 결연한 종교 개혁을 다짐한다.

철저한 종교 개혁을 단행하다 율법서에 따라, 요시야는 결연한 자세로 철저하고도 대대적인 종교 개혁을 단행했다. 하나님의 성전에 있는 갖가지 우상들을 모조리 끄집어내 예루살렘 바깥으로 가져가서 불사르고 가루로 빻아 묘지에 뿌렸다. 유다 땅과 예루살렘에 있는 신접한 자, 박수, 우상, 드라빔, 가증한 것들을 모두 제거하였다. 심지어 북쪽 땅 벧엘에 세운 우상의 제단들과 산당까지 모두 헐었고, 우상 예배를 행하던 제사장들의 뼈를 취해 제단 위에서 불살랐다. 산당의 제사장들도 모조리 죽여 그 해골들을 제단 위에서 불살랐다. 이것은 오래 전 여로보암 시대에 하나님의 사람에 의해 선포된 예언의 성취였다(왕상 13:2). 요시야가 이처럼 철저하게 종교 개혁을 단행하였기에, 성경은 다음과 같이 말한다. "요시야와 같이 … 율법을 온전히 준행한 임금은 요시야 전에도 없었고, 후에도 그와 같은 자가 없었더라"(왕하 23:25).

그대의 '율법서'는 어디에 있는가 요시야가 므낫세로부터 아몬에 이르기까지 거의 60여 년 동안 유다 사회 곳곳에 뿌리박힌 온갖 우상 숭배와 악한 제도를 철저하게 제거할 수 있었던 것은, 무엇보다 하나님의 말씀인 율법서에 철저하게 기초하고 있었기 때문이었다. 악한 죄악의 습관에서 벗어나 신앙의 개혁과 부흥을 일구고 싶은가? 먼저 하나님의 말씀으로 돌아가라! 먼지 쌓인 채 방치되어 있는 당신의 율법서를 찾아라! ✝

율법대로, 율법을 좇아

기원전 7세기 중엽
고대 근동에는
전쟁의 창칼 소리가 끊이지 않았다
애굽과 앗수르와 바벨론
강력한 세 나라가 서로 물고 물리면서
근동의 패권을 놓고 먼지를 일으키던 혼탁한 때

저 작은 유다 나라에
여덟 살의 어린 나이로
왕위에 오른 작은 왕 있었다
그는 요시야
유다의 제16대 왕이라

밖으로는 외세가 으르렁대고
안으로는 타락이 출렁이던 때
어떻게 나라를 지킬 수 있을까
어떻게 왕위를 보존할 수 있을까

그러나 요시야
율법책을 발견했네
율법 위에 굳게 섰네
율법대로 준행하였네

율법대로, 율법을 좇아
이방의 우상을 모두 파괴했네
이교의 예배를 모두 폐지했네
왕위와 나라가 반석 위에 굳게 섰도다

보라
율법대로, 율법을 좇아
하나님의 말씀으로 돌아가는 것만이
자신이 살고
나라가 사는 길임을
오고 오는 세대에 일깨워 주었도다

그대는 요시야
율법을 사랑하고 율법대로 준행한
율법의 제왕이라

64 율법책을 발견한 대제사장 힐기야

성전을 수리하고,
율법책을 발견하고

성전을 수리하다 힐기야는 레위 지파 살룸의 아들로서, 부친의 뒤를 이어 예루살렘 성전에서 대제사장 직분을 감당하고 있었다. 힐기야가 대제사장으로 있던 당시 유다는 앗수르의 3차에 걸친 침입으로 국력이 쇠약할 대로 쇠약해져 있었다. 더군다나 선왕(善王) 히스기야 이후 60여 년에 걸친 므낫세와 아몬의 우상 숭배 정책과 악정으로 인해 종교는 타락했고, 사회는 부패해져 있었다. 이런 시기에 갑자기 살해당한 부왕 아몬의 뒤를 이어 여덟 살의 어린 나이로 요시야가 유다 왕위에 올랐다. 따라서 대제사장 힐기야는 요시야를 보필하여 나라를 이끌어 나가야 했다. 아주 다행스럽게도 요시야는 어린 나이임에도 불구하고 하나님의 뜻을 좇아 선정(善政)을 펼쳤다. 이렇게 된 데에는 가까이에서 왕을 보필한 대제사장 힐기야의 공로가 컸음은 두말할 필요 없다. 분명 대제사장 힐기야는 종교 책임자답게 퇴락한 예루살렘 성전의 수리를 무엇보다도 먼저 요청했을 것이고, 요시야 왕은 이를 흔쾌히 받아들여 즉위 18년에 성전 수리의 대공사가 이루어졌다. 이때에 왕은 성전 수리 비용에 관한 모든 관리를 힐기야에게 전적으로 일임했다. 이것은 힐기야가 재물에 욕심이 없는 진실한 인품을 소유한 사람임을 말해 준다(왕하 22:3-7).

율법책을 발견하다 대제사장 힐기야의 감독 아래 예루살렘 성전이 수리되는 과정에서, 힐기야는 아주 놀라운 것을 발견하게 된다. 바로 성전 내에서 '모세 율법책'을 발견한 것이다. 힐기야는 그 율법책을 서기관인 사반에게 주어 요시야 왕 앞에서 낭독하게 한다. 그 결과, 요시야 왕은 하나님의 뜻이 무엇인지 분명히 깨닫고, 결연한 신앙의 의지로 종교 개혁을 단행하기에 이른다. 이처럼 요시야의 종교 개혁은 잊혀진 율법책을 접한 후 그것을 읽고 들은 데서부터 출발했다. 그것은 힐기야가 성전을 수리하는 과정에서 율법책을 발견했기 때문에 가능한 일이었다.

신실한 조언자가 되어 위대한 신앙의 왕들에게서 발견되는 공통점은, 신실한 조언자를 곁에 두고 있었다는 사실이다. 다윗 왕 곁에는 나단 선지자가 있었고, 히스기야 왕에게는 이사야가 있었다. 그런 점에서 요시야 왕에게는 대제사장 힐기야가 있었다. 힐기야의 조언과 도움이 없었더라면, 요시야의 선정과 종교 개혁은 불가능했을 것이다. 어느 시대를 막론하고, 하나님의 구속 역사에서 조언자의 역할은 결코 가볍지 않다. ✝

거기에 율법책이 있었다!

나라는 온통
우상 숭배와 부정부패로 깊이 병들고
주변 열강은
세력을 넓히려고 서로 다투던 그때에

누가 있어
저 여덟 살의 어린 왕 요시야를 인도할 것인가
누가 있어
저 죄악으로 찌들고 병든 나라를 치유할 것인가
누가 있어
저 열강들의 발톱으로부터 나라를 지킬 것인가

대제사장 힐기야가 있었네
그가 있어
퇴락한 성전이 수축되었도다
그가 있어
먼지 속에 파묻힌 율법책이 발견되었도다

오, 율법책!
어린 왕 요시야가
선정(善政)을 베푼 그곳에
힐기야가 발견한
율법책이 거기 있었다

우상으로 병든 나라를 바로 세우고
부패로 찌든 백성을 치유하는 그곳에
힐기야가 발견한
율법책이 거기 있었다

오늘 그대여
세상에 병들었는가
죄악에 빠졌는가
힐기야가 발견한
율법책을 보라

그대 삶 뒤에 먼지 쌓여 있는
그대의 율법책을 발견하라

65 눈물의 선지자 예레미야

말씀으로 심판을 선포하고,
눈물로써 회개를 촉구하고

고난의 짐을 홀로 지다 예레미야는 베냐민 땅 아나돗 출신으로, 20세의 젊은 나이에 선지자 소명을 받았다(주전 627년경). 이후 예레미야는 유다의 마지막 네 왕을 거치면서, 예루살렘의 함락까지 40년 이상 되는 오랜 세월 동안 예언 활동을 펼쳤다. 예레미야는 유다 역사상 최악의 암흑기에 선지 사역을 감당했다. 사실 예레미야는 스스로 선지자 소명에 응한 것이 아니었다. 하나님이 강권적으로 예레미야를 부르셔서 그에게 그 시대의 짐을 지우셨다. 그 결과 예레미야는 동족에 대한 하나님의 심판을 외치고, 조국 유다에 대한 멸망을 선포해야만 했다. 이 같은 예레미야의 메시지는 반역과 매국으로 오해를 받아 동족에게 철저히 배척당했다. 매를 맞고 구덩이에 던져지고 감옥에 갇히는 등 온갖 핍박과 고통을 겪었다. 그래서 예레미야는 하나님께 자신의 사명을 중단하고 싶다고 호소하기도 했다. 그러나 하나님의 신에 사로잡힌 바 된 예레미야는 다시 굳센 의지로 일어서서 맡겨진 선지자의 사명을 충실히 수행했다.

눈물로 조국의 살 길을 호소하다 예레미야는 하나님의 뜻에 따라 심판과 멸망의 메시지를 선포했다. 하지만 예레미야는 동족의 운명과 조국의 앞날에 대하여 애타는 심정으로 울고 또 울었다. 이른바 '눈물의 선지자'라는 별명은 이렇게 붙여진 것이다. 당시 예레미야는 조국 유다의 살 길을 제시했는데, 영적으로는 하나님께 회개하는 것이고, 정치적으로는 바벨론에 항복하여 그들과 화친을 맺는 것뿐이라고 호소했다. 이 같은 예레미야의 호소는 하나님의 뜻에 근거한 것으로, 당시의 국제 정세를 정확하게 진단한 영육간의 올바른 처방전이었다. 하지만 예레미야 선지자의 진실한 호소는 부패한 백성들과 유다 궁중의 친애굽파 세력에 의해서 철저하게 배척당했다.

주님의 뜻이라면··· 실제로 예레미야처럼 그 자신의 본래 성격과 맡은 바 메시지의 성격이 현저하게 다른 선지자는 찾아보기 힘들다. 예레미야에게 주어진 메시지의 성격은 '심판과 멸망'이라는 무겁고 비극적인 내용이지만, 예레미야 자신은 소심할 정도로 내성적이고 온순하며 감수성이 풍부하고 동정심이 많은 인물이었다. 이런 사실은 예루살렘 함락에 부쳐 그 슬픈 심정을 토로한 5편의 시(詩)로 구성된 예레미야애가를 보면 잘 알 수 있다. 이처럼 자신의 본래 성격과는 판이하게 다른 사명이었지만, 예레미야는 자신을 향한 주님의 뜻을 분명히 인식했기에 주어진 사명을 기꺼이 감당했다. ✝

배역한 이스라엘아, 여호와께로 돌아오라

북쪽의 바벨론은 남으로 내려오고
남쪽의 애굽은 북으로 올라오는데
그 틈바구니에서
우상 숭배로 타락하고
죄악으로 찌든 유다는
나날이 쇠약해져
멸망으로만 치닫고 있었네

어찌할까
어찌할까
저 병으로 찌든 유다를 어찌할까

예레미야여, 일어나라
일어나, 시대의 아픈 짐을 지거라
저 어리석고 모진 백성들의 귀에
하나님의 경고를 외치고 외쳐라

"주여,
왜 하필 저에게 그토록 무거운 짐을 지우시나이까"
예레미야는
무거운 짐 앞에 눈물로 호소했지만
동족을 향해 끓는 사랑 견디지 못해
눈물 뿌리며 회개의 메시지를 부르짖었네

파란 많은 사십 년의 선지자 세월을
울고 울며
회개와 심판의 메시지를 눈물로 외쳤느니
고난의 가시밭길을 눈물로 걷고 걸어왔느니

미움과 배척을 당할지라도
두루마리 책이 불사름당해도
깊은 웅덩이에 던져질지라도…

오늘도 울고 울면서
타락한 시대를 향해 회개를 부르짖는
눈물의 선지자여
시대의 메신저여

part 8 말씀의 강단을 베푸소서

66 사자굴을 택한 신앙 절개의 인물 다니엘

기도하지 못한다면, 차라리 사자굴 속으로

왕의 식탁을 거절하다 망국의 왕족처럼 슬픈 존재가 또 있을까? 다니엘이 바로 그런 존재였다. 그는 유다의 왕족으로 태어났지만, 소년 시절에 나라가 망해 먼 이방 땅 바벨론에 포로로 잡혀간다(주전 605년). 하지만 무너진 것은 나라일 뿐, 다니엘의 히브리 민족의 자존심과 여호와 신앙의 절개는 무너지지 않았다. 그 대표적인 예가 바벨론 궁중 학교에서 왕의 식탁을 거절한 사건이다. 당시 16세 가량의 소년 다니엘은 포로가 된 일개 약소국의 가련한 왕족에 불과했지만, 민족의 자존심과 신앙의 절개로 왕이 베푸는 산해진미의 식탁을 당당히 거절한다. 그것은 목숨을 내건 용기였다. 대신에 채소만을 먹으면서도, 하나님의 은혜로 자신의 몸을 윤택하고 고결하게 지켜 나간다.

예루살렘을 향하여 창문 열고 기도하다 하나님의 은총 아래, 고결한 인품과 탁월한 지혜를 소유한 다니엘은 왕의 두터운 신임을 받아 바벨론과 바사 양 제국에 걸쳐 총리직에 오르게 된다. 약소국의 포로가 이처럼 출세할 때는 반드시 간신배들의 모함이 뒤따르는 법. 그들은 다니엘에게서 다른 약점을 찾지 못하고, 다만 한 가지 특징을 발견한다. 그것은 어김없이 하루 세 번씩 예루살렘을 향하여 기도한다는 것! 간신배들은 다니엘의 약점을 이용해 다리오 왕을 충동질하여 왕 이외에 누구에게도 기도하지 못하게 하는 금령을 만들고, 어기면 사자굴에 던져 넣는 죽음의 법을 선포한다. 하지만 다니엘은 개의치 않는다. 평소의 습관대로 창문을 열고 예루살렘을 향하여 기도한다. 그 결과 다니엘은 왕의 법에 따라 사자굴에 던져진다. 그러나 천사의 도움으로 털끝 하나 다치지 않고, 그 대신 다니엘을 모함한 간신배들의 무리가 사자의 밥이 된다. 왕의 권세도, 사자의 이빨도 기도의 사람 다니엘을 이길 수는 없었다.

꿈과 환상을 해석하고 미래를 보다 다니엘은 신적인 지혜로 꿈과 환상을 해석했다. 느부갓네살 왕의 꿈을 해석했고, 벨사살 궁전의 분벽에 쓰여진 "메네 메네 데겔 우바르신"의 의미를 해석했다. 여러 환상을 통해 열방의 흥망성쇠와 하나님의 절대 주권과 선민을 향한 구속사의 전개 과정과 메시야의 도래를 보았다. 그리고 자신이 본 하늘 계시를 오고 오는 세대에 선포한 위대한 선지자가 되었다. ✝

예루살렘을 향하여 하루 세 번 무릎 꿇다

유다의 왕족으로 태어났지만
망국의 슬픈 시대를 맞아
바벨론 제국의 포로가 된 인물, 다니엘
하지만 세상의 그 누구도
그의 신앙의 절개는 꺾을 수 없었네

그는 민족 자존심을 유지한 지조의 인물이었네
이방의 술과 고기로 채워진 왕의 식탁을 거절하고
푸성귀로 자신의 몸을 고결하게 지켰네

그는 누구도 두려울 게 없는 신앙의 인물이었네
"메네 메네 데겔 우바르신"
분벽의 글씨를 보고, 벨사살 왕 앞에서
당당하게 바벨론의 멸망을 선언했네

그는 아무도 금지시킬 수 없는 기도의 인물이었네
왕의 금령에 따라 사자굴에 던져질 줄 알면서도
예루살렘을 향해 하루 세 번의 기도를 멈추지 않았네

그는 미래를 본 지혜의 인물이었네
꿈과 환상을 통해 하나님의 경륜을 깨달아
열국의 장래와 메시야를 예언했어라

그리하여 다니엘,
하나님의 인정을 받고
왕들의 신임을 얻고
사람들의 존경을 받았네

보라, 다니엘의 영광을!
망국의 포로 된 자로서
왕과 왕의 총리가 되어
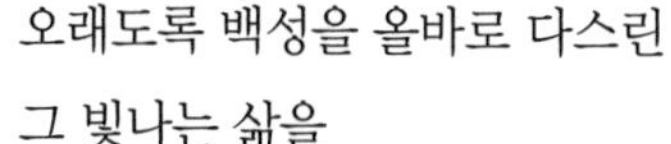
오래도록 백성을 올바로 다스린
그 빛나는 삶을

오늘 그대여,
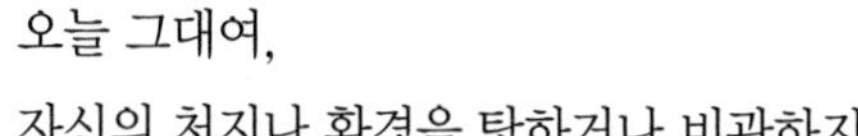
자신의 처지나 환경을 탓하거나 비관하지 말라
다만 울라
다니엘처럼 신앙의 절개와 영혼의 지조를 지키지 못함을,
그리고 배우라
영혼이 저리도록 아름다운 다니엘의 그 신앙 절개의 삶을…

67 다니엘의 세 친구 사드락·메삭·아벳느고

신앙은 죽음을 넘어

바벨론 땅에 포로로 잡혀간 유다의 세 젊은이 유다 왕 여호야김 3년(주전 605년경), 바벨론 군대는 갈그미스 전쟁에서 승리한 여세를 몰아 유다를 침공했다. 그리고 유다 온 땅을 초토화시킨 후에, 유다의 유력한 인물들을 대거 포로로 잡아갔다(제1차 바벨론 포로). 그 포로들 가운데 유다의 귀족 출신인 다니엘과 그의 세 친구들 곧 '하나냐'와 '미사엘'과 '아사랴'가 포함되어 있었다. 그 당시에 그들의 나이는 17세 가량 되었을 것으로 추정한다. 말하자면 한창 성장해야 할 혈기 왕성한 나이에 불행하게도 조국을 잃고, 먼 이방 땅에 포로로 끌려가 처량한 신세가 된 것이다.

신앙은 부귀영화와 죽음을 넘어 당시 바벨론 왕 느부갓네살은 피정복 국가의 백성들을 바벨론에 동화시키려는 정책을 펼쳤다. 그런 동화 정책의 하나로, 정복한 나라의 유력한 젊은 인재들에게 바벨론식 이름을 쓰게 하고, 궁중에서 3년 과정의 바벨론 학문을 교육시켰다. 그런 후에 그 중에서 탁월한 인물들을 발탁하여 고위 관리로 임명함으로써 바벨론 제국을 위해 일하도록 했다. 이런 배경 속에서, 학문과 지혜가 탁월한 유다의 세 젊은이들도 바벨론의 궁중 학교에서 소정의 교육을 받고 바벨론 제국의 고위 관리가 될 수 있었다. 그들에게 붙여 준 바벨론식 이름은 각각 '사드락'과 '메삭', '아벳느고'였다.

바벨론 땅에서 그들은 심각한 신앙의 도전을 받는다. 그 중 한 번은 고위 관리가 되기 전에, 바벨론의 궁중 학교에서 바벨론 왕이 제공하는 이방의 궁중 음식을 모세 율법에 따라 거절하고 순수하게 채식을 한 것이었다. 고위 관리가 된 이후에도 왕명을 어기면 거세게 불타는 용광로에 던져질 것이라는 지엄한 왕명에도 불구하고 바벨론 왕이 세운 금 신상(神像)에게 엎드려 절하기를 끝까지 거부했다. 그렇게 함으로써 여호와 신앙을 지킨 것이다. 이러한 도전의 순간에, 그들은 부귀영화와 목숨까지 기꺼이 포기하고 의연하게 여호와 신앙의 길을 선택했다.

신앙의 길이냐, 세상의 길이냐 오래 전 세 명의 유다 젊은이들이 바벨론 땅에서 경험했던 것처럼, 신앙의 도전은 모든 시대를 통해 모든 크리스천에게 어떤 방식으로든 닥쳐온다. 시대 상황에 따라, 때로는 강력하게 때로는 부드럽게 다가온다. 오늘 우리도 예외가 될 수 없다. 우리에게 신앙의 도전이 닥쳐올 때, 우리는 결단을 내리고 선택해야 한다. 신앙의 길이냐, 세상의 길이냐. 타협의 지대는 없다. 오늘날 신앙의 도전에 직면한 모든 상황에서, 우리는 그 옛날 바벨론 땅, 불타는 풀무 앞에서도 의연하게 여호와 신앙의 길을 선택한 사드락과 메삭과 아벳느고를 본받아, 언제나 하나님께서 원하시고 기뻐하시는 신앙의 길을 선택해야 한다. ✝

그리 아니 하실지라도

그 옛날
유다가 바벨론의 침략을 받았을 때
바벨론 땅에 포로로 끌려간
다니엘의 세 친구
사드락과 메삭과 아벳느고
여호와 신앙으로 하나 된
믿음의 삼총사

여호와 신앙으로
바벨론 궁중 학교에서
우상 제물의 진미를 거부하고
오직 푸성귀만 먹었도다

여호와 신앙으로
바벨론 땅 두라 평지에 세워진
우상의 금 신상에게
엎드려 절하지 않았도다

극렬히 타오르는 풀무 불 앞에서도
지엄한 바벨론 왕 앞에서도
사드락과 메삭과 아벳느고는
담대히 말하였도다
"우리 하나님이 우리를 풀무 가운데서 건져 내시리라
그리 아니 하실지라도
금 신상에게 절하지 아니할 줄 아옵소서"

보라
부귀영화를 넘어
죽음을 넘어
풀무 불보다 더 뜨겁게 불타고 있는
사드락과 메삭과 아벳느고의 여호와 신앙을!

정녕 그대들은
백만 대군도 당할 수 없는
영원한 믿음의 삼총사
하나님의 자랑스런 삼총사라

68 환상과 소망의 선지자 에스겔

열정을 지닌 시대의 파수꾼 사독 계열의 제사장 가문에서 태어난 에스겔은 바벨론의 제2차 유다 침공 때(주전 597년경), 왕족과 귀족들 및 유력한 인사 1만여 명과 함께 바벨론 땅으로 포로가 되어 잡혀간 인물이다. 그때 끌려간 유다의 포로들은 대부분 바벨론 땅 그발 강가의 '델아빕'이란 곳에 거주했다. 그런데 당시 제사장이었던 에스겔은 포로 생활 5년째 되던 해에 그곳에서 선지자의 소명을 받고 바벨론 땅의 유다 포로들을 위해서 활동했다. 선지자 에스겔은 열정적이었다. 당시 죄악에 깊이 찌들어 마음이 돌처럼 굳어 있던 유다 백성들을 감화시키기 위해 에스겔은 기이한 행동을 했다. 벙어리 흉내를 내고, 머리털과 수염을 깎고, 인분을 요리해 먹고, 아내의 죽음에 슬퍼하지 않는 등 하나님의 메시지를 생생하게 전달하기 위해 상징적인 행동들을 서슴지 않았다. 파수꾼이 되라는 하나님의 소명대로, 에스겔은 불타는 열정을 가지고 하나님의 메시지를 외치고 외친 시대의 진정한 파수꾼이었다.

환상과 소망의 선지자 에스겔은 누구보다도 많은 환상을 경험했고, 자신이 본 환상을 통해 메시지를 선포한 선지자였다. 그는 네 생물의 환상, 가증한 성전의 환상, 불에 탄 포도나무 환상 등을 경험했다. 시드기야 11년(주전 586년), 마침내 에스겔 선지자의 예언대로 예루살렘이 함락됨으로써 유다는 멸망하고 말았다. 이때부터 에스겔은 장차 하나님의 주권적인 능력으로 실현될 이스라엘의 회복과 재건을 외쳤다. 그리하여 절망에 빠진 유다 백성들을 위로하고 소망을 심어 주었다. 골짜기의 마른 뼈 환상, 새 예루살렘 성전과 거룩한 강의 환상 등은 이 같은 소망의 메시지를 보여 주었다. 이처럼 에스겔은 하나님의 절대 주권을 선포하며 많은 환상들을 통해 장차 도래할 이스라엘의 회복과 재건을 바라보았다. 그리하여 오고 오는 세대에 하나님의 메시지를 힘껏 외쳤던 위로와 소망의 선지자였다.

이 시대의 파수꾼이 되어 하나님은 각 시대마다 메시지를 선포할 파수꾼을 부르신다. 에스겔은 소망이 없었던 포로 시대에 이스라엘 족속의 파수꾼이 되어 온몸을 던져 열정적으로 하나님의 메시지를 전하며 죄악을 경고했다. 그러는 한편, 하나님 나라의 희망찬 비전을 제시하여 백성을 위로했다. 오늘날 우리들은 죄 많은 이 시대의 파수꾼이다. 에스겔의 발자취를 따라 파수꾼으로서 맡은 바 사명을 다해야겠다. ✝

파수꾼이여, 나팔을 불지어다

저 갈대아 땅 그발 강가에
놀라운 환상 있었네
하늘의 소명 있었네
제사장 에스겔이
바벨론 땅의 포로 된 백성들을 위해
시대의 파수꾼으로 부름을 받았다네

그리하여 이제
파수꾼이여, 일어나라
일어나, 경고의 나팔을 힘껏 불라
저 어리석고 모진 유다 백성들을 향하여
하나님의 말씀을 힘차게 외치라

파수꾼의 외침이 있음이여
벙어리의 몸짓으로 외침이여
머리털과 수염을 밀고 외침이여
행구를 짊어지고 외침이여
끊임없이 울려 퍼진
외침이여

마침내 소망의 환상이 열렸어라
골짜기의 마른 뼈들이
성령의 능력으로
하나님의 큰 군대를 이루었네
성전에서
생명수 풍성히 흘러 나와
만물을 소생시켰도다

오늘, 그대여
시대의 파수꾼이 되라
저 완악한 심령들을 향해
경고의 나팔을 힘차게 불라
저 소망 없는 마른 뼈들을 향해
살아 펄떡이는 복음을 힘껏 외치라
저 바벨론 땅의 에스겔처럼…

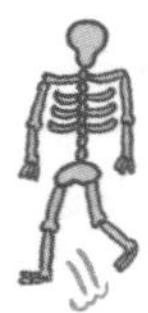

69 남왕국 유다의 마지막 왕 시드기야

남왕국 유다의 마지막 왕 유다의 제16대 왕인 요시야의 막내아들 시드기야는 제19대 왕인 여호야긴의 숙부였다. 그는 여호야긴이 바벨론 땅에 포로로 잡혀갔을 때 조카를 대신해 바벨론 왕에 의해 유다의 제20대 왕위에 오른 인물이다. 시드기야의 원래 이름은 '맛다니야'인데, 바벨론 왕에 대한 충성의 표시로 이름을 바벨론식인 '시드기야'로 고쳤다. 하지만 즉위 3년 뒤에 시드기야는 모압, 암몬, 두로, 시돈, 에돔 등 유다 주변에 있는 군소 국가들의 권유를 받고, 바벨론에 대항하는 반바벨론 음모에 가담한다. 이로써 시드기야는 바벨론 왕의 노여움을 사고 말았다. 바벨론 왕 느부갓네살은 직접 대군을 이끌고 유다를 침공하여 예루살렘을 포위하였다. 포위된 예루살렘은 1년 6개월 동안 힘겹게 버티다가 결국 성벽이 무너지면서 함락된다. 이때 시드기야는 포위망을 뚫고 요단 계곡 쪽으로 몰래 도망치다가 여리고에서 잡혀 느부갓네살 왕 앞으로 끌려간다. 거기서 시드기야는 모진 심문을 받고, 두 눈이 뽑힌 채 쇠사슬에 결박되어 바벨론으로 끌려간다. 그는 그곳의 감옥에 갇힌 채 여생을 보내게 된다.

예레미야냐, 친애굽파 신하들이냐 시드기야 당시에는 예레미야가 하나님의 선지자로 활동하고 있었다. 그래서 시드기야는 종종 예레미야에게 하나님의 뜻을 묻고 자문을 했다. 그때마다 예레미야는 바벨론과의 동맹을 깨뜨리지 말고 바벨론에 계속 충성하는 것이 나라를 살리는 길이고, 또한 그것이 하나님의 뜻이라고 역설했다. 하지만 전통적으로 유다 궁중에는 친애굽파가 득세하고 있었다. 그들은 바벨론을 배척하고, 애굽과 동맹 맺을 것을 줄기차게 주장했다. 심약한 성격의 시드기야는 둘 사이에서 우유부단하게 우물쭈물하다가 결국 친애굽파 신하들의 주장에 눌려 바벨론과의 계약을 파기하고 애굽과 동맹을 맺고 말았다. 그 결과, 시드기야는 자신의 비참한 종말은 물론이고 나라의 멸망까지 초래한 어리석고 비극적인 왕이 되고 말았다.

말씀과 현실 사이에서 신하들의 살해 위협에서 예레미야를 보호해 준 것으로 보아, 시드기야는 예레미야의 충고를 하나님의 뜻으로 믿고, 그의 충고를 받아들이고 싶었는지도 모른다. 하지만 그는 주변의 친애굽파 신하들에게 끌려다녔다. 현실에 발이 묶여, 말씀을 저버린 것이다. 그것이 그를 실패로 이끌었다. 현실이 어떠하든, 항상 하나님의 말씀을 우선 순위에 둘 때 실패하지 않는 삶을 살 수 있을 것이다. ✝

두 눈이 뽑히고 말았구나

아, 슬프다
거룩한 도성 예루살렘이 파괴되었다
반세기 이어 오던
다윗의 왕조가 무너져 내렸다

하나님이 인류의 메시야 보내시려
고르고 택한 유다 왕국을
바벨론에 내어 준 어리석은 왕이여
왕조의 종말을 고한 비극의 왕이여

"바벨론을 배반하지 말라."
"애굽을 의지하지 말라."
눈물로 외치는
예레미야 선지자의 경고를 듣지 않고
바벨론에 등돌리고
애굽을 의지하다가
바벨론의 침공을 받았구나
유다 왕국을 멸망으로 이끌었구나

예루살렘이 무너져 내릴 때
전장에서 당당히 죽지 못하고
목숨을 부지하려 허둥지둥 도망치다
적의 손에 붙잡혀 두 눈이 뽑혔구나
바벨론으로 끌려가 남은 생을 마쳤구나

어찌할까
저 파괴된 예루살렘을
저 무너진 유다 왕국을
저 끊겨 버린 다윗 왕조를
어찌할까

시드기야여
그대 어리석음으로 두 눈을 잃었으니
하나님보다 세상 방백을 의지함이
얼마나 어리석은지
그대를 통해 뼈저리게 깨닫는다

70 제2성전의 재건자 스룹바벨

폐허의 옛터 위에
성전을 재건하다

제1차 바벨론 포로 귀환민들의 인솔자 스룹바벨은 유다 왕 여호야김의 손자이며 스알디엘의 아들로서 바벨론에서 태어났다. 바벨론식 이름은 '세스바살'이고, 다윗계에 속한 예수의 직계 조상 가운데 한 사람이다(마 1:12-13). 그는 포로의 후손이라는 불리한 여건에도 불구하고, 독실한 신앙과 탁월한 능력으로 바벨론 땅에서 명망 있는 정치가로 입지를 굳히고 있었다. 마침내 바벨론을 정복한 바사 왕 고레스가 포로인 유다인들에게 본국 귀환을 허락한다고 발표했다. 그러자 스룹바벨은 유다 총독으로 임명받은 후 이전에 바벨론 군사들에게 약탈당했던 예루살렘 성전의 기물들을 되찾아 예루살렘으로 귀환했다. 대제사장 예수아와 함께 대략 5만 명 가량의 유다인들을 인솔하여 돌아온 것이다. 이것이

이른바 제1차 바벨론 포로 귀환(주전 537년경)이다.

제2성전 재건의 지도자 예루살렘으로 돌아온 스룹바벨은 무엇보다 유다 민족의 신앙의 구심점인 예루살렘 성전에 관심을 가졌다. 하지만 성전은 오래 전에 파괴되어 불탔고, 반세기 이상 그대로 방치되어 폐허로 변하고 말았다. 그래서 총독 스룹바벨은 대제사장 예수아와 더불어 성전의 옛터 위에 제단을 쌓고 신앙 부흥 운동을 일으켰다. 성전을 재건하는 일에 착수했다. 하지만 유다인들의 결집을 두려워한 가나안 땅의 거민들과 사마리아 주민들의 필사적인 방해 공작으로 성전을 재건하는 일은 2년 만에 중단되었다. 그후 14년 동안이나 성전은 버려져 있었다. 마침내 선지자 학개 및 스가랴의 독려와 스룹바벨의 식지 않는 열정으로 성전 재건의 공사는 다시 시작되었다. 드디어 공사를 시작한 지 20년 만에 옛 솔로몬 성전의 터 위에 '제2성전'을 완공할 수 있었다(주전 516년경). 성전 건축을 위한 스룹바벨의 열심과 수고는 이 성전을 '스룹바벨 성전'으로 부르는 데서도 잘 나타난다.

구원의 인침 받은 모든 성도들의 대표 성전 재건과 관련해서, 이 시대의 선지자 학개는 당시 유다 총독이며 성전 건축의 책임자였던 스룹바벨을 크게 높이고 있다. 학개 2장 20-23절 부분은, 학개가 스룹바벨에게 선포한 하나님께서 하신 약속의 말씀이다. 세상 종말의 때에 하나님께서 스룹바벨을 취하여 구원의 인(印)으로 삼겠다는 것이다. 여기서 '스룹바벨'은 하나님께 택함받은 모든 세대의 성도들을 대표한다. 그러므로 오늘날 우리는 스룹바벨에게 주신 하나님의 약속을 통해 구원으로 인침받았음을 확신할 수 있다. ✝

큰 산아, 네가 무엇이냐

파괴되고 불에 타
반세기나 비바람 맞은 폐허의 성전이여
누가 있어
저 슬픈 성전을 우뚝 일으켜 세울까

눈을 들라
저 멀리 바벨론 궁중을 바라보라
그곳에 스룹바벨 있도다

바사 왕 고레스의 칙령이 있던 때
약탈당한 성전 기물을 되찾고
오만 명의 유다인을 이끌어
조국 땅 예루살렘으로 돌아왔네
폐허된 성전 앞에
비감한 눈물 닦고 일어나
성전 재건의 망치를 높이 치켜들었네

가나안 주민들의 끈질긴 방해와
사마리아 사람들의 집요한 훼방으로
다시 망치 소리 끊겼네
성전 재건의 역사가 중단되었네

망치 소리 멈춘 지 어언 14년
두 선지자가 분연히 일어섰네
“스룹바벨아, 스스로 굳세게 할지어다.”
학개 선지자가 격려했네
“큰 산아 네가 무엇이냐,
네가 스룹바벨 앞에서 평지가 되리라.”
스가랴 선지자가 용기를 북돋웠네

보라
스룹바벨이 다시 일어섰다
하나님의 백성이 다시 뭉쳤다
망치 소리 힘차게 다시 울리니
마침내 폐허의 옛터 위에
하나님의 성전 우뚝 세워졌네
스룹바벨 성전이 우뚝 세워졌네

71 성전 건축을 독려한 선지자 학개

바벨론 포로기 이후의 선지자 구약 성경에 언급된 선지자들 중에 바벨론 포로기 이후에 활동한 선지자는 학개와 스가랴와 말라기 등 모두 세 명이다. 그 중 학개는 가장 먼저 예언 활동을 개시한 인물이다. 바벨론에서 귀환한 후에 예루살렘을 무대로 '성전 재건' 이라는 분명한 메시지를 가지고 열정적으로 활동했던 것이다. 학개는 바벨론 땅에서 포로 생활을 하던 때에 제사장 가문에서 출생한 것으로 보인다. 바벨론을 정복한 바사 왕 고레스가 포로 귀환을 허락했을 때 예루살렘으로 돌아왔다. 스룹바벨이 유다 총독이 되어 포로들을 인솔하여 예루살렘으로 귀환할 때 합류하여 돌아온 것이다(제1차 포로 귀환, 주전 537년). 학개는 귀환 후, 예루살렘을 무대로 본국으로 돌아온 유다 백성들을 대상으로 선지자 사역을 감당했다.

성전 재건을 외치다 스룹바벨의 인솔 아래 본국으로 돌아온 5만여 명의 유다 백성들은 고국의 옛 수도인 예루살렘을 중심으로 그 주변 일대에 거주했다. 그리고 유다 총독 스룹바벨의 주관 아래 부푼 기대를 가지고 파괴된 예루살렘 성전의 재건 사역에 매진했다. 그러나 유다인들의 결집을 우려한 북쪽 사마리아인들은 격렬한 방해 공작을 펼쳤다. 또한 토지 경작의 실패로 인한 생활고 등이 겹치자, 유다 백성들은 성전 재건을 중단한 채 각자 세상사에 빠져 살았다. 그런 세월이 무려 14년이나 흘렀다. 그처럼 낙심과 영적 무기력에 빠져 세상일에 몰두하고 있던 백성들 앞에 분연히 나타나, 성전 완공에 따른 하나님의 축복과 미래의 영광된 비전(vision)을 제시하면서 '성전 재건'을 힘차게 독려한 인물이 있었으니, 그가 바로 학개 선지자였다. "성전을 건축하라."는 학개 선지자의 외침을 듣고, 백성들은 비로소 모든 문제의 근본 원인이 거기에 있음을 깨닫는다. 그리고 모두 힘차게 일어나 성전 건축의 사역을 재개했다. 그리하여 마침내 4년 만에 '스룹바벨 성전'이라고도 불리는 '제2의 성전'을 완공하였다(주전 516년경).

문제의 본질을 찾아서 학개 선지자는 오랜 세월 동안 힘든 생활고와 영적 무기력에 빠져 허우적거리고 있던 유다 백성들의 문제점을 분명하게 파악했다. 그것은 백성들이 '성전 건축의 삶', 다시 말해 '하나님 중심의 삶'을 떠나 자기 중심의 삶을 살아간 데 있었다. 오늘 그대들도 삶의 어려움과 영적 무기력에 빠져 있는가? 문제의 본질을 찾아, 그것을 먼저 해결하라! 그러면 새로운 삶의 영광된 비전이 보일 것이다. ✝

이 전(殿)의 나중 영광이 이전 영광보다 크리라

옛 선지자들의 예언대로
마침내 오랜 바벨론 포로 생활이 끝났다
바사 왕 고레스의 칙령으로
하나님의 백성들이
본국으로 돌아왔다

유다 총독 스룹바벨의 인솔 아래
오만 명의 유다 백성들이
부푼 기대를 안고
성전 재건의 꿈을 품고
조국으로, 예루살렘으로
힘찬 발걸음 내디뎠도다
그 중에 학개 선지자가 있었네

그러나
사마리아 사람들의 방해로
농작물을 망쳐 놓은 재해로
귀환의 부푼 기대 깨지고
성전 재건의 꿈 사라지니
생활고에 지치고, 심령이 병든
처량한 백성들의 한숨 소리 들려오네

일어섰도다
학개 선지자가 분연히 일어섰도다
"스룹바벨아, 스스로 굳세게 할지어다."
"모든 백성아, 스스로 굳세게 하여 일할지어다."
"이 전(殿)의 나중 영광이 이전 영광보다 크리라."

일어섰도다
스룹바벨이 다시 일어섰도다
모든 백성들이 다시 일어섰도다
성전 재건의 망치 소리 다시 울려 퍼진다

세상 일에 빠져 하나님의 일을 잊은 자들에게
심령이 낙담하여 지쳐 있는 영혼들에게
오늘, 학개 선지자여
다시 일어나 우렁찬 독려의 메시지 들려주소서

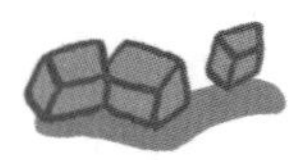

72 하만을 물리친 민족의 파수꾼 모르드개

그는 누구인가 모르드개는 바벨론의 제2차 유다 침공 때(주전 597년경), 유다 왕 여고냐와 함께 포로로 잡혀 바벨론 땅에 끌려온 기스의 증손이고, 시므이의 손자이며, 야일의 아들이다. 그는 바벨론 땅에서 태어나 바사국의 도성인 수산(Susan)에 살고 있었는데, 삼촌의 고아 된 딸 에스더를 친딸처럼 양육하고 있었다. 모르드개가 활동하던 시대 배경은 에스라서 6장과 7장 사이에 나와 있다. 즉, 유다 총독 스룹바벨에 의한 제1차 포로 귀환(주전 537년경)과 학사 에스라에 의한 제2차 포로 귀환(주전 458년경) 사이이다. 이때는 일반 역사책에서 '크세르크세스(Xerxes)'로 알려진, 바사 왕 아하수에로가 통치하던 시대였다.

하만 앞에서 민족의 자긍심을 지키다 바사 왕 아하수에

로의 통치 시절에, 아각 사람 하만은 바사 제국의 총리대신으로 왕 다음인 제2인자 위치에 있었다. '아각 사람'은 아말렉 왕 아각의 후손을 가리키는 말인데, 아말렉 족속은 오래 전 출애굽한 이스라엘 백성을 후미에서 공격하여 큰 타격을 입힌 족속으로 언약 백성 이스라엘의 공적이었다. 그때로부터 근 1천 년의 세월이 흐른 때에 바사 제국에서 아말렉의 후손인 하만이 막강한 권력을 휘두르고 있었던 것이다. 당시 하만의 권세가 하늘을 찌를 듯했기에, 사람들은 하만 앞에서 무릎을 꿇고 엎드려 절했다. 하지만 역사 의식이 깊었던 모르드개는 유다 민족의 자긍심을 가지고 이스라엘의 원수인 하만에게 무릎 꿇지 않았다. 이런 사실을 하만이 알게 되자, 하만은 적개심에 불타올라 모르드개뿐 아니라 유다 민족 전체를 말살하기로 작정하고 왕의 허락을 받아 냈다. 그러나 모르드개는 왕비 에스더와 협력하여 하만의 계략을 물리치고, 동족 유다인을 죽음의 문턱에서 구해 냈다. 그리고 하만은 모르드개를 달아 죽이려고 세운 높은 장대에 자신이 매달려 죽고 말았다. 하만 대신에 모르드개가 총리대신이 되어 유다 민족의 큰 영광과 자랑이 되었다.

'하만' 앞에 결코 무릎 꿇지 말라 당시 바사국의 총리대신인 하만의 권세는 엄청난 것이었다. 일개 포로의 후손에 불과한 모르드개가 감히 하만에게 대적한다는 것은 계란으로 바위를 치는 것과 같았다. 하지만 모르드개는 하나님을 의뢰하는 신앙의 용기로, 하만 앞에 끝내 무릎 꿇지 않았고, 도리어 대적 하만을 무릎 꿇게 만들었다. 모르드개처럼 오늘 그대들도, 하나님의 자녀 된 자긍심으로 세상의 하만 앞에 무릎 꿇지 말고 당당하게 서라! ✝

하만 앞에 우뚝 서다

기억하는가
그 옛날 출애굽 때
이스라엘의 후방을 공격한 아말렉 족속을
하나님의 진노를 일으켰던 그 비극의 사건을!

그로부터 천 년 후
바사 조정에 아말렉의 후손 있었네
큰 권세로 온 나라를 호령했네
그는 아각 사람 하만이라

하만의 권세가 크고도 높아
모든 사람들이 하만 앞에 무릎 꿇었네
하만의 권세 앞에 엎드려 절했네

보라
저기 무릎 꿇지 않는 사람을
하만 앞에 당당히 서 있는 사람을
그는 유다 사람 모르드개라

하만이 분노하네
하만이 음모를 꾸미네
모든 유다인을 몰살하려 하네

모르드개여, 일어나라
일어나, 저 아각 사람 하만의 음모를 깨뜨려라
동족을 죽음에서 건져 내라

찬양하라, 구원의 하나님을
모르드개의 지혜로
모르드개의 용기로
하만의 궤계를 깨뜨려라
동족을 죽음에서 건져 내라
그 사건 기념하여 부림절의 축제에서 춤추어라

복되도다, 모르드개여
오고 오는 부림절에
그대 이름 영원토록 빛나리

73 별처럼 빛나는 애국 여인 에스더

바사 제국의 왕후가 되다 에스더는 바벨론에 포로로 잡혀 간 베냐민 사람 아비하일의 딸로서, 일찍부터 부모를 여의고 사촌 오빠 모르드개 밑에서 양녀처럼 자랐다. 에스더는 모르드개의 선한 보살핌 아래 훌륭한 신앙과 민족애를 지닌 아름다운 여인으로 성장했다. 당시 바사 궁실은 몇 해 전에 폐위된 왕후 와스디를 대신하여 바사 왕 아하수에로의 왕후가 될 여인을 간택하고 있었다. 여기에 용모가 아름다운 에스더도 참여하게 되었고, 결국 모든 여인들 중에 왕후로 간택되었다. 이때가 아하수에로 즉위 7년째 되던 해로(주전 478년경), 이 시점은 유다인을 몰살하려는 하만의 무서운 음모가 있기 5년 전의 일이었다. 돌이켜 보면, 정치, 경제, 혈통 중 아무런 배경도 없는 무명의 유다 처녀 에스더가 일약 대제국 바사의 왕후가 된 사실은 신기할 정도로 놀라운 일이었다. 그것은 장차 하만의 간사한 속임수로부터 자기 백성을 지키시려는 여호와 이레 하나님의 섭리! 이것밖에는 달리 설명할 길이 없다.

담대한 신앙의 용기로 왕 앞에 나아가다 바사 제국의 총리대신 하만은 자신에게 감히 무릎 꿇지 않는 모르드개가 유다인임을 알고, 그 일을 빌미로 유다인 전체를 몰살하려는 대음모를 꾸민다. 그후 왕의 허락까지 받아 낸다. 바로 그때 모르드개는 왕궁의 에스더에게 전갈을 보낸다. "네가 왕후의 위를 얻은 것이 이 때를 위함이 아닌지 누가 아느냐"(에 3:14). 하지만 바사 궁실에는 엄한 규례가 있었다. 그것은 누구든지—비록 왕후일지라도—왕의 부름 없이 왕 앞에 나가면 죽음을 면치 못한다는 규례였다. 어찌할 것인가? 밤낮 3일을 금식 기도한 후에, 에스더는 왕실의 규례를 어기고 '죽으면 죽으리라'는 각오로 왕 앞에 나아간다. 그 결과, 에스더는 왕의 은총을 입어 하만의 음모에서 벗어날 수 있었고, 동족 유다인을 죽음의 위기에서 구원할 수 있었다.

죽으면, 살리라 만일 에스더가 자신의 지위와 안위만을 생각하여 모르드개의 요청을 거부하여 목숨을 건 희생을 발휘하지 않았더라면, 결국 그 자신도 목숨을 부지하지 못했을 것이다. 하지만 담대한 신앙의 용기로 죽고자 결심했을 때, 자신도 살고 동족도 살렸다. 이처럼 하나님을 의뢰하는 가운데 '죽으면 죽으리라'는 신앙 각오로 자신을 희생하는 자는 오히려 죽지 않고 사는 것, 곧 '죽으면 살리라'는 것은 영원한 기독교의 진리이다. 오늘 그대, 신앙 안에서 죽을 각오가 되어 있는가? ✝

죽으면 살리라

바사 땅에
작은 별 하나 반짝이네
'별' 이라는 이름의 작은 소녀
에스더

어려서부터 뛰어난 총명과 미모로
뭇 사람의 사랑을 받은 작은 별이네
바벨론 땅에 포로로 끌려간
유다인의 미약한 후손이었어도
바벨론을 멸망시킨
바사 왕국의 왕후로 뽑혔네

그러나 어찌할까
바사 왕국의 총리대신 하만이
유다인의 대적이 되어
유다인을 몰살하려 하는구나

에스더여, 나아가라
바사 왕에게로 나아가라
나아가서, 하만의 무서운 계략을 깨뜨려라

그러나 왕의 부름 있기 전에
왕 앞에 나아갈 수 없는 바사 왕국의 규례가
에스더의 발걸음을 가로막네

에스더가 기도하네
기도하고, 바사 왕 앞으로 나아가네
목숨을 건 용기로 나아가네
"죽으면 죽으리이다."

보라
하만의 궤계가 깨졌도다
유다인이 구원을 받았도다
'죽으면 죽으리라' 는 에스더
죽어서 살았네
살아서 빛났네
유다인의 큰 별 되어 오늘도 반짝이네

74 율법에 능통한 학사 에스라

율법을 가르치고,
율법대로 실천하고

율법에 능통한 학사 에스라는 바벨론에 포로로 잡혀간 스라야의 아들로, 대제사장 아론과 엘르아살과 비느하스를 거치는 사독 가계의 제사장이었다. 당시 에스라는 바사 왕 아닥사스다 1세의 통치기에 바사 정부에서 일하고 있었는데, 모세 율법에 능통한 학사였기 때문에 서기관으로서 봉직하고 있었다. 그런데 에스라는 80여 년 전 스룹바벨의 인솔 아래 예루살렘으로 귀환한 유다 백성들이 종교적으로, 사회적으로 타락했다는 소식을 접하고, 그들에게 '여호와의 율법을 연구하여 준행하며 율례와 규례를 가르치기로' 결심한다(스 7:10). 그래서 에스라는 아닥사스다 왕에게 예루살렘 귀환을 요청하여 허락을 받고, 2천여 명의 유다인들을 인솔하여 예루살렘으로 귀환하였다. 이것이 에스라의 인솔로 이루어진 제2차 바벨론 포로 귀환이다(주전 458년경).

율법대로 실천한 개혁자 예루살렘으로 귀환한 에스라는 무엇보다 먼저 유다 백성들에게 율법을 가르쳤다. 그래서 율법을 지키고, 안식일을 준수하며, 성전에 예물을 바치도록 지도했다. 아울러 세금에 관한 사회 제도를 제정하고, 이방인과의 결혼을 금지시켰다. 더 나아가 에스라는 이미 이방 여인과 결혼한 자들에 대해서 이방 아내 및 그녀의 자녀들을 추방할 것을 명했다. 이 같은 에스라의 개혁 조치는 너무 극단적인 것처럼 보일 수도 있다. 하지만 사실은 이방의 우상 세력과 조금도 타협하지 않는 에스라의 단호한 태도는 하나님이 기뻐하시는 것이었다. 당시 이방 아내들과 그녀의 자녀들은 우상 숭배에 깊이 물들어 있었으며, 아내를 따라 유다 백성들도 우상을 섬기고 있었기 때문이다. 그래서 자칫 방치했다가는 유다 민족의 순수성이 사라지고, 바벨론 포로의 원인이 되었던 우상 숭배가 또다시 유다 땅에 만연될 상황이었다. 그래서 에스라는 유다 신앙 공동체의 성결을 위해서 혁신적인 개혁 조치를 취했다. 이처럼 에스라는 율법을 알았을 뿐만 아니라, 율법대로 사회를 정화시킨 종교 개혁가였다.

말씀으로 돌아가자 에스라의 회개 및 개혁 운동은 무엇보다 하나님의 말씀인 율법을 낭독하고 그것을 강론하는 데서부터 출발했다. 반대로 생각하면 이 사실은, 하나님의 말씀을 알지 못하면 누구든지 죄악에 사로잡힐 수밖에 없다는 것을 말해 준다. 그러므로 자신을 반성하거나 혹은 사회를 개혁하고자 한다면, 무엇보다 먼저 하나님의 말씀으로 돌아가서 말씀이 무엇을 말하는지부터 올바로 깨달아야 한다. ✝

말씀의 강단을 베푸소서

먹을 양식이 없어
굶주린 게 아니요,
마실 물이 없어
목마른 게 아니네

다만 하나님의 말씀 없어
하나님의 말씀 알지 못해
저 무지한 백성들
죄를 짓고 죽음의 길로 치닫고 있었네

한 사람이 돌아왔네
바벨론 땅의 포로 된 백성들을 이끌고
하나님의 말씀을 양손에 들고
고국인 예루살렘으로 돌아왔네
그는 에스라,
율법에 능통한 학사라

에스라가 율법을 가르치네
금식하며 가르치고
회개의 울음으로 가르치네

보라
하나님의 말씀이 살아 역사하니
민족 대각성 운동을 전개하도다
신앙 정화의 불길이 타오르고
우상에 물든 이방 여인들을 내보낸다

오, 에스라여
하나님의 말씀 알지 못해
죄악으로만 치닫던 무지한 백성을
하나님의 말씀으로 돌이켜
하나님의 백성으로 정화시킨 위대한 율법 선생이여

하나님의 말씀을 알지 못하여
타락하는 우리들에게
말씀의 강단 베푸사
하나님의 말씀을 가르치고 또 가르쳐 주소서

75 예루살렘을 재건한 불굴의 민족 지도자 느헤미야

쓸쓸한 폐허로 변한 슬픈 예루살렘 한때 하나님의 거룩한 도성으로 열방 위에 우뚝 솟아 있던 예루살렘. 그러나 주전 5세기 중엽의 느헤미야 당시에는 잡초만 여기저기 무성하게 자라 있고 밤이면 들짐승만 주변을 어슬렁대는 쓸쓸한 폐허로 변해 있었다. 바벨론 군대가 성읍을 파괴한 지 150여 년이 지나도록 성읍을 재건축하지 않았기 때문이다. 넓은 성읍에 사람은 아주 드물었고, 성곽은 허물어져 도처에 군데군데 큰 무더기를 이루고 있었다. 이런 예루살렘은 이방인들의 조롱과 능욕거리가 되었다. 성벽은 무너지고 성문은 시꺼멓게 불탄 채, 그렇게 예루살렘은 슬픈 몰골로 아프게 울고 있었다.

바사 궁정의 느헤미야 느헤미야는 바벨론 포로로 잡혀 간 조상에게서 태어난 유다인의 후손이었지만, 불리한 여건을 딛고 바사 궁정의 황제 측근의 자리에까지 올랐던 인물이다. 사실 느헤미야 자신은 바사 궁정에서 안락한 삶을 누릴 수 있었다. 그러나 느헤미야는 뜨거운 동포애와 불타는 애국심을 가진 자였다. 무엇보다 '여호와 신앙'을 가진 믿음의 사람이었다. 이런 느헤미야에게 전해진 고국 예루살렘의 소식은 충격적이었다. "동족은 능욕을 받으며, 예루살렘 성은 훼파되고 성문들은 불타 버리고…"(느 1:3). 이 소식에, 느헤미야는 울었다. 수일을 울면서 하나님께 금식 기도를 드렸다.

예루살렘 건축 현장의 느헤미야 "그 성을 중건하게 하옵소서." 마침내 느헤미야는 바사 왕의 허락을 받고 예루살렘으로 향한다. 바사 궁정의 부귀와 안일함을 뒤로 한 채….

느헤미야가 유다의 총독이 되어 예루살렘 성을 건축하기 위해서 귀환한다는 소식을 듣고 예루살렘의 대적들은 크게 소동한다. 그리고 조롱, 모함, 협박, 유혹 등 온갖 수단과 방법을 다 동원하여 필사적으로 예루살렘 성 건축을 방해한다. 그러나 뜨거운 신앙으로, 불타는 애국심으로, 한 손엔 연장을 잡고 다른 한 손엔 병기를 잡은 채 두 눈 부릅뜨고 성곽을 건축해 나가는 느헤미야를 대적들은 결코 감당할 수 없었다. 그렇게 밤낮으로 성곽 쌓기를 한 지 52일째, 마침내 성 역사가 모두 마치고, 예루살렘은 다시 옛 모습을 찾았다. 그것은 파괴된 이스라엘 공동체의 회복이었고, 무너진 여호와 신앙의 재건축이었다. ✝

그 성을 중건하게 하옵소서

아, 슬픈 도성이여
하나님께 심판받은 슬픈 예루살렘 도성이여
너 그렇게 파괴되고 불타서
이젠 잡초만 무성한 폐허가 되고 말았구나
그러기를 어언 백오십 년,
과연 누가 있어 너를 이전처럼 다시 우뚝 세운단 말인가

눈을 들어 저 멀리 바사 궁정을 보라
바사 왕 아닥사스다 곁에 서 있는 한 인물을 보라
그는 바사 궁정의 고위 관리, 유다 지파 소속의 느헤미야
슬픈 예루살렘을 위해
하나님께서 일찍부터 준비해 놓은 불굴의 민족 지도자라

"그 성을 중건하게 하옵소서"
예루살렘의 슬픈 소식을 듣고,
마침내 느헤미야가 힘차게 일어서다
바사 궁정의 부귀와 안일함을 뒤로 하고서
폐허가 된 예루살렘을 향해,
위험과 핍박이 도사리고 있는
예루살렘을 향해 힘차게 나아가다

떨고 있네
예루살렘의 대적들이 떨면서 느헤미야를 대적하네
"이 미약한 유다인들이 무엇을 하려는가"
"여우가 올라가도 무너질걸"
조롱과 협박과 모함으로 예루살렘 건축을 방해하네

누가 느헤미야를 막을 수 있을까
두 눈 부릅뜨고 한 손엔 연장을,
다른 한 손엔 병기를 잡고
불굴의 신념과
부단의 기도와
무한의 애국심으로 무장한 느헤미야를

주야로 성 쌓기를 오십이 일째,
바벨론 제국의 침략으로 불타서 폐허가 된 슬픈 예루살렘
이젠 열방 위에 하나님의 기쁜 도성으로 다시 우뚝 세워졌네
우뚝 솟은 그 성곽 아래,
느헤미야의 땀과 눈물이 배어 있네
느헤미야의 용기와 신앙이 빛나고 있네

에세이와 시로 그린 성경 인물 이야기

사람아 네가 무엇이냐

구약편2 | 한나에서 느헤미야까지

2005년 1월 20일 인쇄
2005년 2월 1일 발행

저자 김영진
일러스트 김천정
디자인 김수화
발행처 (주)성서원
주소 서울특별시 종로구 명륜동 1가 46- 1
전화 02-765-0011~7 **팩스** 02-743-6811
등록 제1-2201호
홈페이지 www.biblehouse.co.kr

값 6,000원
ISBN 89-360-1056-5